VINCIE'S TWEEDE WERELD

LENI SARIS

Vincie's tweede wereld

U.M. 'WESTFRIESLAND' - HOORN

CIP-GEGEVENS

Saris, Leni

Vincie's tweede wereld / Leni Saris. -
Hoorn : Westfriesland. - (Witte raven ; M 470)
ISBN 90-205-1717-1
UDC 82-93
Trefw. : jeugdboeken ; verhalen.

ISBN 90 205 1717 1

Serienummer Witte Raven M 470
Omslag: Reint de Jonge
Copyright © by 'Westfriesland', Hoorn

De storm was tegen de avond opgestoken. Het geweld was heel de nacht doorgegaan, de wind had gerukt aan de daken, aan de takken van de bomen en Vincie, knus weggekropen in haar bed, had liggen kijken naar de groteske schaduwen van de langs haar raam zwiepende takken. De arme oude kastanjeboom had het zwaar te verduren, dacht ze medelijdend. Er zouden zeker nog meer takken sneuvelen. Het was niet zo dat ze de boom haar hele leven had gekend. Ze waren hier pas vijf jaar geleden komen wonen, nadat mama en papa van hun lange reis waren teruggekomen en zij zelf na het lange verblijf in het kleine dorp, waar haar jonge oom burgemeester was, weer had moeten wennen aan het geordende leven in een gewoon gezin. Het was niet zo gemakkelijk geweest. Het leven in het kleine dorp had heel veel voor Vincie betekend. Het had haar leven totaal veranderd, die twee jaar in het dorp bij oma en Roy. Ze hadden heel wat met haar te stellen gehad en achteraf bezien kon ze zich heel goed voorstellen, dat het voor oma en Roy en evenmin voor mama erg gemakkelijk was geweest. Mama had haar toevlucht in het dorp gezocht, nadat papa en zij hadden besloten te gaan scheiden. Vincie was het daar vanzelfsprekend niet mee eens geweest en had er veel later, en met sukses, het hare toe bijgedragen om de scheiding te verhinderen, wat overigens alleen mogelijk was geweest omdat haar ouders allebei spijt hadden van hun eerder genomen besluit en elkaar niet konden missen.

Vincie die niet kon slapen door het geweld buiten, keerde zich om, zodat ze de bewegende takken niet langer zag maar nu tegen de schaduwen op de witte muur aan keek, wat nog erger was. Ze sloot haar ogen maar ze kon het geluid niet buitensluiten.

„Waarom zou ik dan ook proberen te slapen, ik kan ook wakker blijven inplaats van zo krampachtig te doen," dacht Vincie. „Nadenken kan soms erg goed zijn ... alles weer eens op een rijtje zetten, ik geloof dat ik het soms nodig heb ... en ik hoop, dat het morgen nog ruw weer is, dan ga ik langs de zee wandelen, alléén ..."

Vincie, pas achttien jaar, was als kind de schrik van het dorp geweest en toch had niemand een hekel aan haar gehad ... Dat dorp ... ach, dat bizondere dorp ... ze kwam er nog steeds op bezoek en soms, zonder aanwijsbare reden, had ze opeens zo'n heimwee naar het dorp, dan keken haar ouders niet vreemd op als ze zei: „Ik ga naar oma ..."

Hoe graag ze ook bij haar oma kwam, die nu in een aardige bungalow woonde en genoot van het rustige leven, de hoofdzaak was toch dat het dorp voor Vincie zoveel betekende na alles wat ze er had meegemaakt: haar vriendschap met het Surinaamse meisje, dat destijds door iedereen liefkozend 'Troel' werd genoemd maar nu Shireen was geworden en die weigerde ooit nog naar Troel te luisteren, uit angst voor het verdere leven met die naam uit haar kinderjaren opgescheept te worden. Maar als Vincie in het dorp kwam was haar eerste gang, nadat ze haar grootmoeder had begroet, naar het kerkhof, met een arm vol bloemen voor 'de jongen', een piloot uit de wereldoorlog 1940-1945 die daar lag begraven.

Meer dan dertig jaren hadden de bewoners van het dorp het graf verzorgd, een naamloos graf, want niemand had geweten wie de jongen was die destijds het dorp voor uitroeiing had behoed, door zwaar gewond in de dichte bossen onder te duiken. Voor de dorpelingen was het een ereschuld geweest om het graf bij toerbeurt te onderhouden en ze hadden te zamen de eenvoudige plaat met inscriptie en het kruis laten plaatsen. Zo was het geweest toen Vincie in het dorp kwam wonen en natuurlijk had zij niet geweten waarom juist die plaats, niet zo aantrekkelijk voor een kind, haar zo trok. Het moest in het begin wel het verhaal geweest zijn dat oma en oom Roy haar vertelden over de onbekend gebleven jongen, die toch ergens nog familie moest hebben, familie, die nooit had geweten wat er met de jongen was gebeurd. Vincie had er niet van kunnen slapen en de volgende morgen had ze gevraagd of ze ook bloemen mocht gaan neerleggen. Daar was niets op tegen, maar Vincie stond er vanaf het begin op, de bloemen van haar zakgeld te betalen ... ach, en een enkele maal als ze geen geld had, kaapte ze dan wel eens een verse roos uit een boeket dat oma of mama mee naar huis brachten als ze boodschappen hadden gedaan.

De jongen ... Vincie werd altijd weer bevangen door een zonderling gevoel van weemoed als ze aan de gebeurtenissen van die tijd dacht. Nu wist iedereen wie de jongen was: een Engelsman die Kenneth Graham heette. Na meer dan dertig jaren waren tenslotte de iden-

6

titeitspapieren gevonden in zijn schuilplaats in het bos, maar niemand had ooit geweten waar dat was en er was heel lang tevergeefs naar gezocht ... tot Vincie op een dag de plaats in het bos vond, waar de jongen zijn laatste levensdag had doorgebracht ... en daar werden tenslotte Kenneths kleine kostbaarheden gevonden door Vincie, maar niemand buiten de familie had ooit geweten hoe zich deze wonderlijke gebeurtenis in werkelijkheid had toegedragen.

De mensen in het dorp dachten dat Vincie bij het spelen in het bos toevallig het ijzeren doosje met Kenneths bezittingen had gevonden, maar zo was het niet. Vincie was nog maar heel jong geweest, een kind nog, en ze had niets begrepen van die lachende, maar zwijgende jongen die ze zag in de omgeving van haar verborgen hoek in het bos. Dat de jongen er niet echt was ging ze eerst later begrijpen, in feite zag Vincie iets dat andere mensen niet konden zien, een begaafdheid waar ze helemaal niet zo gelukkig mee was geweest; het had ook tot grote misverstanden met haar oom Roy geleid.

Roy was destijds, uit zin voor de familietraditie, de burgemeester geweest van het kleine verscholen dorp maar hij had het niet kunnen volhouden en samen met zijn vrouw Nicky, die hij had leren kennen toen ze in het dorp was komen wonen, was hij voor een zeilreis rond de wereld vertrokken om voor goed al het stof van zich af te schudden. Nicky ... aan haar had Vincie veel te danken. Vincie's ouders waren destijds samen op reis nadat de breuk in hun huwelijk suksesvol was hersteld en Vincie, erg eenzaam, vond steun bij Nicky voor al haar moeilijkheden, en dat waren er nogal wat door haar vreemde belevenissen met 'de jongen'. Nicky had het wèl begrepen en haar ook beschermd tegen de woede van Roy, toen de geschiedenis met de vriend van Vincie het hoogtepunt bereikte. Daarna was Roy erg goed en begrijpend geweest, dankzij de fantastische Nicky ... Ja, het was een gelukkige dag in het leven van Roy, èn de hele familie geweest toen hij het oude huisje dat hij in het dorp bezat, aan Nicky verhuurde.

Een van de belangrijkste gebeurtenissen in Vincie's leven was toch wel de dag geweest waarop ze, met Roy en Nicky, naar Eastbourne was gereisd om de ouders van de jongen Kenneth de dierbare bezittingen van hun zoon te overhandigen. Zij kende de oude mensen natuurlijk niet en evenmin had ze ooit een foto van de jongen gezien. Het verhaal over de onbekende jongen had haar alleen enorm geboeid en ze had voortdurend bloemen op zijn graf gebracht, een drang die ze natuurlijk als twaalfjarige niet zou hebben kunnen verklaren. Dat kon ze nog steeds niet, hoewel ze, alleen voor zichzelf, aarzelend had toegegeven dat ze soms een tikje 'anders' was waar ze helemaal niet blij mee was, maar niemand van de familie had er ooit verder een probleem van gemaakt en geen vreemde wist het, omdat de familie zorgvuldig gezwegen had over Vincie's aandeel in het vinden van de bezittingen van Kenneth. Ze hadden haar beschermd tegen ongezonde nieuwsgierigheid en wanbegrip en dat had ze als een weldaad gevoeld en ze was er tot op deze dag dankbaar voor. De band tussen de hoogbejaarde ouders van Kenneth en Vincie was vanaf het begin heel sterk geweest maar hoe kon het ook anders? Dit kind had de enige en laatste grote wens van hun leven vervuld, na meer dan vijfendertig jaren wisten ze tenslotte wat er met hun in de oorlog vermiste zoon was gebeurd.

Nu nog vroeg Vincie zich vaak af, hoe de Grahams zich gevoeld moesten hebben toen daar een vreemd kind uit het buitenland kwam binnenlopen en wijzend op een levensgroot schilderstuk uitriep: „Maar dat is Kenneth!", terwijl dat kleine meisje pas twaalf jaar was en Kenneth meer dan dertig jaar geleden uit hun leven was gegaan. Vincie raakte de ring aan haar vinger aan. Dat was een gewoon- tegebaar van haar, want deze ring had Kenneth vele jaren geleden aan zijn moeder gegeven en zij had hem op die gedenkwaardige dag, toen zij en haar man als het ware hun zoon terugkregen, aan Vincie geschonken ... Vincie voelde het zo ... Niet zo maar gegéven ... het is een groots geschenk om zo'n dierbaar aandenken weg te schenken aan een meisje, waarvan mevrouw Graham toen toch nog niet kon weten hoe volledig Vincie de waarde van dat geschenk had doorgrond. Mevrouw Graham had de ring spontaan gegeven, omdat ze hoe dan ook aan dit kind, Vincie, het grote geluk te danken had: eindelijk te weten, wat er van Kenneth geworden was ... Een met liefde verzorgd graf in een klein verstild dorp in Holland, en daar was hij blijven rusten omdat hij er hoorde, ofschoon de Grahams hem oorspronkelijk in Eastbourne opnieuw hadden willen laten begraven.

Vincie had spontaan beloofd dat zij tot in lengte van dagen voor het graf van de jongen zou zorgen, maar ook zonder die belofte zou Vincie dit hebben gedaan. Nog altijd voelde Vincie die vreemde, niet te definiëren band met Kenneth, ofschoon de vreemde droom of de verschijning, of wat het dan ook geweest mocht zijn, zich nooit herhaald had. Kenneths ouders hadden de boodschap ontvangen die hij destijds voor hen achterliet en Kenneth had nu rust... althans zo zag Vincie het.

Vincie, luisterend naar het geweld van de storm, dacht: „Als het zo stormt zou ik het best knus kunnen vinden, liggend in een warm holletje, maar er gebeurt zoveel narigheid met de storm... Vooral op zee... Het is eigenlijk vanzelfsprekend, dat ik altijd aan Nicky en Roy moet denken... maar ach, waarom zou het dáár stormen... als ik maar wist waar 'd a a r' is. We weten eigenlijk nooit waar ze precies uithangen... en het duurt maar, en het duurt maar... eindeloos... Er komt nooit meer een eind aan die reis. Ze zijn gewoonweg verknoeid voor het gewone leven aan land... Het zijn zulke zwervers geworden... zwervers..."

Vincie lag heel stil en plotseling liepen er twee tranen over haar wangen. Ze kon er niets aan doen dat ze soms zo'n verschrikkelijk heimwee had naar de twee mensen, die haar moeilijkste tijd en ook wel haar fijnste tijd in zeker opzicht, hadden begeleid... Ze had destijds toen ze vertrokken geweten, dat ze drie jaar zouden wegblijven, drie jaar... Ja, maar het waren nu al vijf jaren, vijf eindeloze jaren! Vincie hield werkelijk dolveel van haar ouders en van het nu driejarige broertje Eddy, maar ze zou niemand hebben durven vertellen dat ze bijna nog meer hield van Nicky en Roy en van de nu achtentachtig jarige oude dame in Engeland, de moeder van Kenneth... zijn vader was drie jaar geleden gestorven.

Met Nicky en Roy en met de moeder van Kenneth voelde Vincie zich op een heel bizondere manier verbonden, misschien hield ze niet méér van hen maar anders en ze was toch altijd vervuld van een vaag gevoel van heimwee naar die tijd en naar het dorp, naar Nicky en Roy, naar Ukkie, het kleine hondje van Nicky dat meereisde. Bij het melancholieke geluid van de storm, die rukte aan het huis en gierde als een boosaardige geest, werd dat altijd aanwezige sluimerende heimwee opeens weer groot en knagend. Vincie kon de slaap niet vatten, het heimwee naar Roy en Nicky was deze keer vermengd

9

met angst en het was met Vincie nu eenmaal zo dat ze geleerd had, dergelijke gevoelens ernstig te nemen. De deur kierde open en een klein manneke met blonde krullen en angstige blauwe ogen gleed naar binnen, in zijn armpjes klemde hij een grote pluche aap.

„Sjappo en ik zijn bang," deelde hij mee. „Het waait zo ... ik wil bij jou blijven."

„Ben je al bij mama en papa geweest?" informeerde Vincie maar ze sloeg de deken al voor hem terug. „Kom dan maar, ouwe bedelaar ... en neem Sjappo maar mee, als hij dan boven ons hoofd op het kussen gaat zitten, dan is hij dicht bij ons maar hij neemt niet zoveel plaats in."

„Mama en papa slapen, ze werden niet wakker," deelde Eddy misprijzend mee en hij klauterde in bed, waar hij zich onmiddellijk genoeglijk tegen zijn zoveel oudere zusje aanvlijde en niet meer bang was. Hij viel direct in slaap. Vincie verwees Sjappo toen maar naar het voeteneinde en viel zelf, nogal moeizaam liggend met haar arm om Eddy, ook in slaap.

Tegen de morgen ging de storm liggen maar hij had wel een spoor van vernielingen achtergelaten. Vincie werd pas wakker toen haar moeder haar riep. Ze tilde de slaapdronken Eddy uit bed.

„Jij zult ook niet lekker geslapen hebben op deze manier. Eddy was zeker bang en wij hebben 'm niet gehoord. Sta je op, Vin?" zei moeder. „Het stormt niet meer!" mompelde Vincie, ze draaide zich nog eens genoeglijk om nu ze opeens plaats genoeg had, niet van plan om goed wakker te worden en op te staan.

„Toe nou, Vincie!" drong haar moeder aan. „Als je opschiet kan je met papa meerijden, dan ben je tenminste één keer op tijd bij je baas en ik hoop dat je gisteravond iets aan je cursus hebt gedaan."

„Bemoei je er nou niet mee," zei Vincie humeurig. „Moet je daar nou om half acht in de morgen mee komen?"

Ze ging overeind zitten en keek met een diepe boze frons tussen haar ogen naar haar moeder, die Eddy had neergezet en enige kledingstukken van de grond raapte.

„Jaja, ik wéét het, ik ben slordig, maar jij kunt het maar niet laten. Net als vroeger, toen we in het dorp woonden."

„Toen was je erg moeilijk te regeren," mompelde haar moeder.

„Ja, en jij wist helemaal niet hoe je me moést regeren," merkte

Vincie koeltjes op. Ze strekte haar armen en geeuwde grondig. „Het is zo jammer dat papa en jij later alles wilden inhalen en de ideale dochter van me wilden maken... dat ging niet meer en bovendien heb ik het niet in me en ik wil nog steeds niet voortdurend betutteld worden."

„Brutaal ben je genoeg." Vincie's moeder haalde de schouders op maar ze wist dat Vincie gelijk had. De opvoeding van het kind had jarenlang op niets geleken. Vincie had als een vrijbuiter rondgelopen in het dorp, deed alles wat haar het beste leek en de straf wist ze te ontgaan, omdat haar moeder niet duldde dat oma of oom Roy ook maar iets zeiden ten nadele van Vincie's opvoeding. Vincie speelde dit natuurlijk uit, tot haar moeder boos werd en onevenredig zware straffen of klappen uitdeelde als ze het echt niet zo bont gemaakt had. Omdat het dorp erg klein was en de meeste kinderen op veraf gelegen hoeven woonden, had Vincie maar één echte vriendin: de dochter van Roys Surinaamse studievriend, die zijn secretaris was. Troel, of eigenlijk Shireen, was een goedlachse, gezellige vriendin, altijd bereid tot kattekwaad en ook erg trouw, maar echt steun had Vincie niet aan haar. Daarvoor was Shireen altijd te oppervlakkig geweest. Ze had dan ook niets aan Shireen verteld over haar plekje in het bos en 'de jongen'. Wel had ze een keer verteld dat ze een vriend had. Dat had ze nu net niet moeten zeggen want Shireen, die zich opeens verwaarloosd voelde door haar beste vriendin, deed haar verwijten over haar vriend en Roy hoorde het. Als Nicky toen niet tussen beiden was gekomen, dan zou er voorgoed een breuk tussen Roy en het nichtje, waarvoor hij zich verantwoordelijk voelde, zijn ontstaan. Nu kwam alles goed door die lieve, onbetaalbare Nicky... Vincie dacht altijd met warmte aan haar. Ze had echt verdriet gevoeld toen Nicky en Roy vertrokken. Voor drie jaar, maar intussen vijf jaar... en soms had Vincie het gevoel dat ze hen nooit terug zou zien. Na hun vertrek had ze zich heel lang onzeker gevoeld, omdat alleen Nicky en Roy wisten hoe moeilijk ze het ermee had dat ze toch een beetje 'anders' was. Ze had het ook eigenlijk nooit aanvaard, ze wilde er eenvoudigweg niet over spreken. Het gebeuren met 'de jongen' wilde ze blijven zien als iets dat ieder ander ook zou zijn overkomen als hij of zij maar, zoals zij, toevallig op de juiste plaats was geweest. Dat het niemand in meer dan dertig jaar ooit was gelukt om de plaats, die zij 'haar geheime boskamer' had genoemd, te vinden, wilde ze ook niet als iets bizonders zien. Vooral in de eerste jaren waren er uitgebreide zoekacties in de omgeving en vooral in het dichte bos gehouden door de dorpsbewoners, omdat zij er van overtuigd waren dat ergens in die bossen het geheim van de identiteit van de jongen verscholen lag.

Dat was zo gebleven, tot de tijd, dat Vincie in het dorp kwam wonen. Ze had geen spijt van de toch wel erg ingrijpende gebeurtenissen, die ze niet kon en ook niet wilde verklaren, omdat ze al gauw ongelooflijk veel van Kenneths ouders hield en zielsblij voor hen was geweest dat ze eindelijk hadden geweten hoe en waar hun enige zoon was gestorven en begraven. Dat zo weinig mensen de waarheid wisten stemde Vincie blij en gerustgesteld, want ze wilde niets anders dan voortaan een heel gewoon leven leiden in de stad met haar ouders, vaak op bezoek gaan bij oma en dan altijd een bezoek aan het graf van de jongen brengen. Zelfs nu ze al zolang zijn naam wist, bleef hij in haar gedachten nog steeds 'de jongen'. Vincie veroorloofde echter niemand ooit nog de gebeurtenissen van destijds op te halen want zodra men een opmerking in die richting maakte werd ze zo gesloten als een oester. De flapuit van vroeger bestond niet meer, haar ouders zagen het met verwondering. Haar grootmoeder nam het zonder meer aan, ze was altijd een vrij laconieke vrouw geweest die zich niet druk maakte om dingen die toch niet te veranderen waren. Het drukke kind Vincie, dat uitbundig het dorp had beziggehouden, omdat er altijd wel iets was met Vincie, was veranderd in een tamelijk introvert meisje, dat ouder leek dan de achttien jaren die ze telde.

De vriendschap met Shireen, die beslist niet meer met 'Troel' wenste te worden aangesproken, bestond nog wel maar het was ook hier tot een verwijdering gekomen. Shireen was net zo goedlachs en oppervlakkig als ze altijd was geweest: ze nam het leven niet ernstig. Samen met een vriendin woonde ze op kamers, werkte de ene baan na de andere af en kon het nergens uithouden en deed er dan ook weinig moeite voor. Vincie was er een keer op bezoek geweest en had zich afgevraagd, hoe twee meisjes het klaar kregen zoveel rommel te maken.

„Al liet ik zes weken alles achter me staan, dan kreeg ik dit nog niet

12

klaar," had ze tegen Shireen gezegd en die had alleen maar lachend haar schouders opgehaald. Tinky, het meisje waarmee Shireen haar kamers deelde, had er zwijgend en wijsgerig bij gezeten en later tegen Shireen gezegd: „Als dát nou die leuke vriendin van vroeger is... wat een saaie!"

„Ze is veranderd," zei Shireen effen en toen, met vuursproeiende ogen, beet ze Tinky toe: „En hou je mond over dingen waar je niks van snapt. Vin is en blijft een schat van een meid."

Ze zweeg even en voegde er dan nadenkend aan toe: „Ze is erg trouw en we hebben enorme pret gehad... ik zal nooit de keer vergeten, dat we rolschaatsend door de trouwzaal gereden zijn, natuurlijk met veel geschreeuw en schaatsgekletter... Er was nota bene een trouwtje. Haar oom was woest op haar en mijn vader op mij. Ik zou nooit meer naar het dorp terugwillen maar het was een heerlijke tijd ... en ik weet niet, opeens scheen het voorbij te zijn. Vincie had allerlei problemen, ze lag vaak met die oom overhoop en toch mochten ze elkaar, daar ben ik van overtuigd. Vin was zo'n héérlijk levendig, mal kind, zo ... zo sprankelend ... en dat is ze nu niet meer. Ze zag er ook tamelijk ... eh, vréémd uit in die tijd ... met Pippi Langkous-vlechten, waar altijd een uit het gelid geraakte strik aan bengelde, ze had rossig slordig haar en sproeten ... en ... nou, ik kan niet anders zeggen dan dat ze uiterlijk enorm in haar voordeel is veranderd. Dat peenhaar van haar is donkerder van kleur geworden, goudbruin en erg mooi, het is dik haar, dat heel mooi, halflang geknipt is en dat soort haar valt onmiddellijk weer keurig in het gelid, al heeft ze er net tien vingers doorgehaald. Verder heeft ze heel mooie, echt blauwe ogen, maar die had ze natuurlijk altijd al ofschoon het toen minder opviel en je alleen zag, dat ze ondeugende blauwe ogen had. Haar mond is nou niet bepaald klein maar toch wel goed van vorm en ze heeft erg mooie tanden en een heel goede huid, zoals de meeste wat rossige mensen. Verder is ze heel slank en middelgroot en dat is dan Vincie ten voeten uit ... zo zou ik Vincie beschrijven als iemand dat van me vroeg en zeg jij dan maar eens of het klopt. Weet je, Vin betekent zo'n enorm belangrijk en zalig stuk van m'n jeugd, dat niemand ooit een kwaad woord over háár mag zeggen want ik verdedig haar door dik en dun ... zoals zij het vroeger míj deed ... daar komt gewoonweg niemand tussen."

„Dat wist ik toch niet," merkte Tinky op. „Je hoeft niet meteen vuur te vatten."

„Dat wist ik niet... Ja, daar komen ruzies, moord en doodslag van ... en de hele wereld gaat er mank aan, omdat niémand ooit iets werkelijk wéét. Enfin, wat zeur ik toch!" Shireen wendde zich schouderophalend af. Als Vincie op bezoek was geweest had ze er opeens spijt van dat ze zo weinig positiefs met haar leven deed, dat ze maar rondhing, pret maakte, vriendjes bij de vleet nam en weer afdankte en van werken ook niet veel bizonders maakte omdat ze gewoonweg niet wist wat ze wilde en zich domweg liet meeslepen door de kring vrij agressieve jongeren waar ze mee optrok. Waar het eindigen moest wist ze zelf niet en ze dacht er ook niet teveel over na... behalve als Vincie was geweest, maar ach... dat duurde hoogstens een uur en dan was het weer voorbij en dook Shireen weer onder in haar vreemde, rommelige leventje. Maar ze raadde niemand aan, ooit spottend of minachtend over de vriendin uit haar jolige kinderjaren te praten.

HOOFDSTUK 2

De storm was nog niet helemaal gaan liggen, het waaide nog hard met af en toe een onberekenbare windvlaag. Vincie sjorde met een boze frons tussen haar rechte wenkbrauwen haar fiets uit de schuur. Ze liet haar fiets wel eens buiten tegen de schuurdeur staan, zodat ze 's morgens maar weg behoefde te rijden, maar haar vader wilde dit niet en had maandenlang - van vriendelijk, overredend, tot ongeduldig en kwaad - gevraagd of ze dit obstakel alsjeblieft in de schuur wilde plaatsen, tevergeefs. Vincie had geen tijd, ze dacht er niet aan of ze dacht er wel aan maar was te gemakzuchtig en dacht dan vaag 'Ik doe het straks wel...' maar daar kwam nooit iets van. Papa Lieversen had het opgegeven, nu zette hij zelf Vincie's fiets binnen en zorgde er dan steevast voor dat de fietsen van hem en zijn vrouw vóór die van Vincie stonden, zodat ze 's morgens beslist niet zorgenvrij kon wegrijden. Vincie was er razend om geweest en had de laconieke opmerking moeten slikken, dat wie niet wilde horen dit

14

nog altijd maar moest voelen.

„Leuk ben je," had Vincie hooghartig gezegd en ze was koppig doorgegaan met haar fiets tégen de schuur te zetten, zodat ze diezelfde
fiets net zo trouw 's morgens moest uitgraven.

„Het zal mij benieuwen wie deze stille strijd het langst volhoudt,"
mompelde Vincie's moeder met een snelle blik naar buiten. „Soms
denk ik wel eens, dat we Vincie zijn tegengevallen en ze alleen maar
voortdurend heimwee naar het dorp heeft... Ja, en heimwee naar
Nicky en Roy, ofschoon ze destijds inderdaad moeite genoeg heeft
gedaan om jou en mij weer voorgoed bijelkaar te krijgen... Dat is
gelukt en daar ben ik nog steeds blij om, héél blij en toch... ik heb
voortdurend het gevoel, dat Vincie zich heel vaak een... een gast in
eigen huis voelt, daar tob ik vaak over, weet je dat wel?"

Vincie's vader keek tersluiks op de klok. Hij vond het wel wat vroeg
voor een diepzinnig gesprek, waar hij overigens ook geen tijd voor
had.

„Ze is toch niet jaloers op Eddy?" vroeg hij om toch iets zinnigs te
antwoorden.

„Neen, dat is ze niet... ze is dol op Ed, en dat weet je heel goed,"
antwoordde Vincie's moeder nogal vinnig. „Je kunt beter niets zeggen en misschien is dat ook wel m'n eigen schuld... wie gaat er nou
om klokke acht uur zulke problemen aansnijden, hè?"

„Het komt door de stille strijd om de fiets, het hindert niet."

Hij stond op, gaf zijn vrouw een zoen en aaide Eddy haastig over zijn
bol. „In ieder geval wil ik die fiets niet iedere avond tegen de schuur
... tot vanavond!"

Onderweg reed pa zijn dochter voorbij en hij wuifde naar haar, maar
ze deed alsof ze niets zag en kneep haar lippen tot een boze smalle
streep. Ze was kennelijk nijdig en stak het niet onder stoelen of
banken.

Ze werkte als assistente bij een dierenarts en dat had er altijd wel in
gezeten, want Vincie was dol op dieren. Verder volgde ze met ijver
en enthousiasme de schriftelijke cursus 'opleiding tot dierenarts-
assistente' en ze beschikte gelukkig over een aangeboren handigheid,
ze bracht de dierenarts in ieder geval niet door haar gedrag tot
wanhoop. Ze was voor hem min of meer de verhoring van een gebed
na een jaar van eindeloos getob met steeds weer nieuwe hulpjes die

er niets van terecht brachten. Vincie zou het liefst in een dierentuin zijn gaan werken maar omdat ze daar geen kans voor kreeg was ze bij de dierenarts, een kennis van haar vader, terechtgekomen. Hij had Vincie zonder veel hoop aangenomen maar was nu erg blij met haar en hoopte dat ze er niet te snel weer vandoor zou gaan, wat ze overigens niet van plan was. Ze had het niet gemakkelijk met de jalouzie en de roddelzucht van twee collega's op de achtergrond. „Zelf presteren ze niets en ze staan hun tijd te verleuteren," had Vincie zich thuis wel eens geërgerd uitgelaten, hoewel ze meestal niet veel praatte over de sfeer. „En toch kunnen ze niet uitstaan dat ik wèl goed werk, omdat ik het heerlijk vind met dieren om te gaan en me er altijd bij betrokken voel. Ik werk ze echt niet op een zijspoor, dat doen ze zélf, alleen zien ze dat vanzelfsprekend niet in. Ze zijn dom... zo vermoeiend dom, er komt niets anders uit hun mond dan de woorden 'mijn vriend' en ja... alles wat daar zo bijhoort. Ze mogen me gerust een truttig schepsel vinden omdat ik er nooit op in ga, maar hun vrienden interesseren mij niet. Ik kom om te werken en je werkt tenslotte met lévend materiaal en daar heb je echt al je aandacht voor nodig... vind ik."

„Ja... ja, natuurlijk heb je gelijk," had haar moeder haastig gezegd. „Maar kun je niet een beetje toeschietelijker zijn... af en toe doen alsof het je wèl interesseert, zodat ze je niet zien als iemand die zich boven hen verheven acht? Er is toch een gulden middenweg, Vincie."

„Neen, hier niet..." sprak Vincie kortaf. „Zou jij het bijvoorbeeld zo leuk vinden als je met een doodzieke hond binnenkomt, de dokter is een en al aandacht, maar aan de andere kant van de kamer staan er twee te giechelen, met rode hoofden, en ze hóren niet eens dat er iets tegen ze gezegd wordt... nou, dat vind ik ergerlijk en het is geen uitzondering. Voor mij hebben ze zaagsel in hun hoofd. Vind jij het leuk, als je, bezorgd bent over je poes en vraagt: 'Is dit spul erg giftig?' en zo'n kind zegt giegelend: 'Ha, dat wéét ik niet, hoor, want ík eet het niet!' Dat is maar een kleine bloemlezing, hoor. Het zou best leuk kunnen zijn maar ik heb het nou toevallig beroerd getroffen met mijn collega's... het gáát gewoonweg niet tussen ons." Carola Lieversen had het wel begrepen dat Vincie zo reageerde maar ze vond haar dochter toch wel een tikje te rechtlijnig, ze was niet van plan ooit een stap naar links of rechts te doen, ze kon nu eenmaal

16

niet veinzen – op geen enkel gebied en mensen accepteren zoals ze zijn is nu eenmaal niet gemakkelijk.

Zo gebeurde het ook op deze stormachtige morgen. Jessy en Anneke waren er al toen Vincie binnenkwam. Op haar groet kwam alleen een ongeïnteresseerd 'Dag' en 'Hallo' en het gesprek stokte plotseling, zodat Vincie natuurlijk begreep dat zij het onderwerp van gesprek was geweest.

Vincie liep naar een kooi waarvan het deurtje openstond; er zat een allerleukste kleine poedel in.

„Wie zet dat hokje nou open?" informeerde Vincie kregel. „Van Dulk heeft toch uitdrukkelijk gevraagd dat niet te doen omdat Shandy een wegloopster is, die onmiddellijk de gelegenheid grijpt."

„Wij zijn er nou toch bij," merkte Jessy achteloos op. „Ik heb haar laten drinken en ik hoef van jou geen standjes af te wachten."

„Wie heeft het over standjes?" Vincie sloot het deurtje, ze werd bleek van ingehouden drift. „Ik weet niet of je het hebt gehoord, maar Shandy mocht in verband met het onderzoek helemaal niets hebben, zelfs geen drinken... Het is iemands liefste dier, hoor, waar jij zo onverantwoordelijk mee omspringt. Shandy lijkt niet zo ziek maar hij is het wél, anders had hij allang de benen genomen toen jij de deur liet openstaan."

„Ga het maar aan Van Dulk vertellen," sneerde Anneke.

„Als ik dat doe, is het alleen in het belang van Shandy," zei Vincie nog steeds verontwaardigd. „Ik zou het hem zelf maar zeggen."

„Ben je stapel," vroeg Anneke met verheffing van stem. „Jij houdt je mond maar, zo erg zal het wel niet zijn en hij heeft geen liters water gedronken."

Het werd een stevige ruzie en de stemmen werden er vanzelfsprekend ook niet zachter op. De deur ging open en een zware stem vroeg geërgerd: „Wat is hier aan de hand? Ik hoor jullie boven krakelen en nou wil ik wel eens weten..."

Niemand zei een woord en het zwijgen werd onbehaaglijk.

„Komt er nog wat van?" informeerde Van Dulk ongeduldig.

„Zij komt binnen en zet meteen een grote mond open," Jessy knikte in de richting van Vincie, die bezig was met het aftellen van tabletjes waarover gebeld was. Ze zouden meteen afgehaald worden en daarom was er haast bij en Vincie ging gewoon met haar werk door alsof het haar niet aanging. Ze stond ook niet te trappelen om Van Dulk meteen te vertellen, waarom ze zo boos was geweest.

„Dus Vincie kwam binnen en begon zonder enige reden ruzie te maken... jaja! Als wie-dan-ook van jullie ruzieënd binnenkomt, neem ik altijd aan, dat er een reden voor bestaat... en waarom vond Vincie het nodig om kwaad te worden?" Hij gaf het gewoonweg niet op en zijn ogen gleden nadenkend van de een naar de ander.

„Nou ja, goéd dan... het hokje van Shandy stond open en ik heb haar een beetje water gegeven... dat is alles!" Jessy gooide het hoofd in de hals. „Het kon geen kwaad, we stonden er bij en de deuren waren dicht."

„Jessica, als ik een bevel geef over de behandeling van de dieren, dan doe je precies wat ik vraag, niet méér en niet minder." Van Dulk was razend maar wist het te camoufleren met het bijtend sarcasme waar ze geen van allen iets van moesten hebben. Ze hadden, eerlijk gezegd, liever een grote mond. „Het laat me koud of jij vindt, dat het geen kwaad kan, ík heb de verantwoording voor dat diertje en ik had gezegd, dat je het hokje gesloten moest houden en jij kunt wel denken dat het geen kwaad kan als je Shandy water geeft, maar ík had gezegd dat dit volstrekt niet mocht. De enige die hier van jullie drieën redelijk denkt is Vincie en ze probeert niet méér te doen dan haar is opgedragen en ook niet minder..." En toen verloor hij toch zijn kalmte nog en bulderde, rood van woede: „En als je verd... nog één keer samen staat te fluisteren en giechelen daar in de hoek en als je nog één keer dingen doet, in verband met de dieren, die lijnrecht tegen mijn bevel ingaan, dan gooi ik jullie er allebei uit." Daarna was het doodstil in de kamer, Jessy en Anneke stonden met rode hoofden en Vincie voelde zich ook niet prettig. Dit zouden ze wel weer op haar wreken ofschoon ze niets verraden had maar misschien was ze ook wel wat te bazig opgetreden, hoewel ze er niet echt spijt van had, daarvoor had ze zich teveel geërgerd.

Het resultaat was dat Van Dulk de eigenaar van Shandy op moest bellen om hem te vertellen dat zijn hondje nog een dag langer in observatie moest blijven. Hij zei er wijselijk maar niet bij waarom dat zo was.

De sfeer bleef heel de morgen ongezellig. Als er iets werd gezegd, was er een ondertoon van dubbelzinnige hatelijkheden, die op zich

18

weinig inhielden, zodat Vincie er zich niet over had kunnen beklagen als ze dit zou hebben gewild, maar het was meer de toon van de opmerkingen. Toch was de hoofdzaak niet het feit dat Vincie handiger was en harder werkte, maar sinds een maand had de dierenarts Van Dulk zich geassociëerd met de jonge Gert Fransen. Voor hem sloofden Jessy en Anneke zich wel uit, hij was jong, vrolijk en zijn uiterlijk mocht er zijn. Zelfs de onverschillige Vincie dacht er zo over al deed ze niet mee in de eeuwige strijd wie er iets voor Fransen mocht opknappen. Het was juist Vincie waar hij meer dan gewone belangstelling aan besteedde en ze vond hem erg sympathiek.

Vincie voelde zich ook gevleid door de aandacht die hij aan haar besteedde en zijn attenties. Een paar dagen geleden had Gert haar gevraagd of ze eens met hem in de stad wilde gaan eten, ze zouden dan nog een nadere afspraak maken omdat ze op dat ogenblik geen van beiden een avond vrij hadden, maar het was er nog niet van gekomen.

„Denk je nog aan onze bijna-afspraak?" vroeg Gert terloops, met een weerspannig poedeltje in zijn armen. „Verroest, hij bijt in m'n duim!"
Vincie begon te lachen en stak voorzichtig haar hand naar de poedel uit, deze keer beet hij niet maar snuffelde waarderend aan haar hand. Ze nam het nerveuze diertje handig van hem over en hij grinnikte beschaamd, want de poedel mocht Vincie kennelijk liever dan de jonge dierenarts. De eigenares van de poedel had nog even met Van Dulk staan praten over de behandeling van haar hondje, maar blijkbaar toch iets opgevangen van wat er achter haar was gebeurd.

„Beet Josy?" informeerde ze verschrikt. „Dat is z'n gewoonte niet, maar ja ... hij is nerveus als hij bij de dokter is."
„Josy deed een aardige poging maar het viel mee, Josy vindt blijkbaar de assistente aardiger dan de dokter," zei Gert droog.
Er twinkelde iets in de ogen van Josy's bazin en ze zei met een vriendelijke lach: „En de dokter vindt de assistente zeker ook aardiger dan Josy."
„Ja, maar zij bijt niet," redde Gert zich eruit. „Maar je weet het nooit zeker."
Ze lachten alledrie en Van Dulk keek in hun richting. Maar hij zei niets, dat kon hij ook niet doen, omdat Josy's vrouwtje net zo hard meedeed en hij moeilijk een cliënte een standje kon geven.

19

Vincie vond het werk heerlijk en sinds kort ging ze 's morgens met zoveel enthousiasme op weg naar de praktijk, dat haar moeder al eens plagend had gezegd:

„Wat voor trekpleister heb je daar, Vin?"

Dit naar aanleiding van het voorstel van haar ouders een dag vrij te vragen om op haar broertje te passen toen haar ouders samen weg wilden. Vincie was er gewoonweg niet toe te bewegen geweest, hoe dol ze ook op haar kleine broer was en hoe redelijk het verzoek, omdat Vincie wel meer voor een ander was ingesprongen en dit gemakkelijk geregeld had kunnen worden. Ze was er echter niet toe te bewegen geweest maar tenslotte zou ze het misschien toch wel gedaan hebben, als haar moeder niet ongeduldig had gereageerd: „Nou goed, dan niét, aan iemand die de hele dag met een lang gezicht rondloopt heeft het kind ook niets. Ik vraag wel of tante Hannie komt."

Tante Hannie, een vriendin van Vincie's moeder was dol op de kleine jongen, dus was het niet zo'n ramp dat Vincie niet wilde, maar mevrouw Lieversen wilde tante Hannie niet altijd lastig vallen. „Dat spijt me dan," had Vincie kribbig geantwoord. „Ik vind op m'n broertje passen, zonder echt geldige reden, niet iets om te verzuimen. Je kunt erover denken zoals je wilt. Ik ben nou eenmaal niet iemand die voor iedere wissewas thuisblijft, als je dat wel doet kan niemand ooit echt op je rekenen en daar pas ik voor."

Vincie's vader had hier toch wel begrip voor en de kibbelpartij ebde weg maar Vincie's moeder was natuurlijk niet tevreden voor ze behoedzaam had uitgevist, wie er allemaal werkten bij de dierenarts. Ze had natuurlijk onmiddellijk begrepen dat het dan wel om de jonge dokter zou gaan.

„Is er iets op tegen?" had Vincie kwaad gevraagd. „Wat zijn de mensen toch vervelend nieuwsgierig, je ouders niet uitgezonderd ... het is mijn zaak en bovendien is er helemaal niets te vertellen. We vinden elkaar best aardig, méér niet, of je het nu wel of niet gelooft."

Mevrouw Lieversen had er niets meer op gezegd Vincie was gewoonlijk aardig en redelijk maar ze kon verschrikkelijk vinnig uit de hoek komen zodra ze het gevoel had dat de mensen zich zonder aanwijsbare reden met haar zaken gingen bemoeien. Mevrouw Lieversen had dan een vaag schuldgevoel. Vincie had nooit een opmerking in die richting gemaakt, maar haar moeder dacht dan dat ze niet het contact met Vincie had kunnen opbouwen zoals ze dat verwacht had, omdat ze Vincie in haar kinderjaren op zijn minst gezegd 'vreemd' had opgevoed. Als klein kind had ze teveel ruzies meegemaakt tussen haar moeder en haar vader, die zijn vrolijke vrijgezellenleven niet had kunnen opgeven.

Toen kwam de scheiding en Vincie woonde met haar moeder bij haar grootmoeder en oom. Oma, die de moeilijkheden te goed zag, bemoeide zich wijselijk niet met Vincie's opvoeding en zei alleen iets als ze het daarmee voor Vincie gemakkelijker kon maken, maar haar jeugdige oom was erg streng en begreep niets van het kind, dat op zijn zenuwen werkte. Vincie's moeder wilde geen enkele dwang voor Vincie en stond niemand toe zich ermee te bemoeien. Jammer genoeg maakte ze daar fouten mee, Vincie vrijbuiterde er op los en ze miste haar vader heel erg.

Het was aan Vincie te danken, dat haar ouders elkaar hadden teruggevonden en daarna waren ze samen op reis gegaan... en hadden Vincie voorlopig in het dorp achtergelaten. Daarna gingen haar oom Roy en zijn vrouw op wereldreis en Vincie miste hen verschrikkelijk. Vincie's moeder had zich trouwens altijd schuldig gevoeld omdat ze er niet bij was geweest toen Vincie zo'n moeilijke, vreemde tijd beleefde. Vincie wilde het helemaal niet maar ze had moeten toegeven dat er voor haar een tweede wereld bestond, waarvan een ander niets kon begrijpen omdat ze niet wisten hoe het was. Nicky, de vrouw van haar oom Roy, had het kind toen heel goed begeleid, daarom hing Vincie zo ontzettend aan haar en diep in haar hart was mevrouw Lieversen daar jaloers op al vond ze dit zelf onredelijk. Vincie heeft ons nu gewoonweg niet meer nodig, dacht ze vaak, als ze het gevoel had, dat ze Vincie niet echt kon bereiken. Toch was Vincie nooit jaloers geweest op het broertje dat kwam, toen voor háár eindelijk het leven weer normaal ging verlopen en ze de volle aandacht van haar ouders hard nodig had. Vincie was een prima kind maar ze zette erg snel haar stekels op, ze sloot zich af zodra iemand haar voor anderen onbegrepen wereld aanraakte en ze verdroeg eigenlijk nooit dat iemand zich met haar gevoelsleven of gedachtenwereld bemoeide. Ze was hartelijk, open en vriendelijk, maar dat reikte niet verder dan het alledaagse leven.

Ze praatte ook nooit meer over vroeger, over de Engelse jongenman die in het dorp begraven lag vanaf de oorlogstijd en de rol die zij gespeeld had in de oplossing van dat tientallen jaren oude raadsel: wie is de jongen, die ons dorp destijds redde en waarvan wij het graf onderhouden? Wel hing ze met een sterke genegenheid aan mevrouw Graham, de moeder van Kenneth en ze had een onbedaarlijk verdriet gehad toen de oude heer Graham gestorven was. Vincie was toen op staande voet naar Eastbourne afgereisd. Een paar simpele bloemen die op Kenneths graf bloeiden, had ze zorgvuldig behoed meegenomen en bij Kenneths vader neergelegd. Voor Kenneths moeder vielen daarbij alle andere afscheidsbloemen weg en niemand kon werkelijk begrijpen hoe sterk de band was tussen het jonge meisje en de oude dame en dat wortelde allemaal in die wonderlijke geschiedenis die zich in het dorp had afgespeeld.

Vincie's ouders, en vooral haar moeder, wisten dat er daardoor in Vincie's leven een deel was dat zo geheel van haar alleen was, dat zij er nooit toegang toe zouden krijgen en ze hadden het aanvaard, maar het was altijd blijven schrijnen. Wat Vincie werkelijk voelde en dacht zei ze niet, zeker niet als het over de geschiedenis van Kenneth ging, waar ze altijd abnormaal gesloten over was geweest.

Vincie ging voor het eerst met Gert Fransen uit op de avond na de hevige storm. Het leek een voorjaarsavond en behalve wat afgebroken takken wees niets meer op het geweld van de vorige avond. Omdat er op woensdag geen avondspreekuur was, hadden ze volop tijd om rustig te gaan eten en tegen vijf uur, toen ze naar huis gingen, hoorde Jessy dat Gert tegen Vincie zei: „Tot vanavond. Ik kom je om half zeven halen, is dat goed?"

Vincie knikte en zag aan Jessy's houding en gezicht, dat ze het gehoord had.

„Wat hindert dat nou?" vroeg Gert, toen ze daar 's avonds een opmerking over maakte. „Als wij samen willen uitgaan zijn we daar toch niemand verantwoording voor schuldig. Ik zie geen reden om geheimzinnig te doen ... jij wel dan?"

„Ach nee, je hebt gelijk." Ze glimlachte tegen hem over de feestelijk gedekte tafel heen en het kaarslicht gaf een kastanjekleurige gloed aan haar haren en een diepe glans aan haar heldere ogen. Ze straalde van blijdschap want ze mocht Gert bizonder graag, voorzichtig gezegd. Hij was knap, vrolijk en hartelijk; in het kort samengevat, dacht ze, trachtend nog een beetje kritisch te denken, kan ik nog weinig van zijn karakter zeggen en misschien kunnen we helemaal niet met elkaar opschieten als we elkaar beter leren kennen.

„Wat mag ik geven voor je gedachten?" vroeg Gert, hij boog zich over de tafel en zijn ogen probeerden de hare vast te houden. „Je kijkt zo peinzend en je vergeet te eten. Zeg jij wel ooit wat je werkelijk denkt? Ik weet niet waarom, maar ik heb vaak de indruk dat het jou gemakkelijk valt de mensen te laten praten en je er rustig niets van aan te trekken. Ik heb je niet zo dikwijls meegemaakt, maar dat is wel je houding tegenover de meisjes, Jessy en Anneke. Je maakt je zelden echt kwaad, dat is mijn indruk."

„Ik hoop dat je het geen onaangename indruk vindt, maar het is wel waar dat ik me tegen dat kleinzielige geroddel probeer te wapenen ... al valt dat lang niet altijd mee. Het helpt niets, het lost niets op als je er tegenin gaat praten. Je kunt wel met iemand praten om misverstanden uit de weg te ruimen maar als je weet dat ze eenvoudigweg niet willen praten, omdat ze je om de een of andere reden niet mogen en met opzet voortdurend een verkeerde indruk willen projecteren voor zichzelf en voor anderen, ja ... wat moét je daar dan mee? Je kunt óf weggaan óf blijven en het, zoals ik doe, langs de spreekwoordelijke kouwe kleren te laten weglopen. Het raakt me wel maar ik wil het niet tonen, zie je."

„Je hebt het dus niet gemakkelijk," constateerde Gert peinzend.

„Ik begrijp alleen niet waarom ze zich zo tegenover jou opstellen. Je bent collegiaal genoeg ... als ze je maar de gelegenheid geven. Wat is dat nou toch? Ik vind het zo ellendig voor jou, als ik zie hoe die twee samenspannen en jij alleen staat."

„O, je hoeft echt geen medelijden met me te hebben, hoor," weerde ze af en vinnig voegde ze eraan toe: „Heb je me soms daarom mee uit eten genomen?"

„Je weet wel beter. Ik vind je een aantrekkelijk meisje en niets anders is de reden. Maar daarom mag ik het me toch wel aantrekken dat Anneke en Jessy zo vreemd doen, want het zijn toch werkelijk wel geschikte meisjes."

Vincie vergat het hapje eten op haar bord nu helemaal, ze leunde achterover in haar stoel en keek Gert nadenkend aan.

„Gert, ik heb geen zin om over collega's te gaan zitten roddelen. Als ze dan al geschikt zijn, toch niet tegenover mij... wel tegenover jou, vanzelfsprekend, voor jou vliégen ze en je bent toch niet zo onnozel om niet te snappen waarom dat is. Ten eerste zijn ze jaloers en ten tweede heb ik er wel eens iets van gezegd als ze staan te leuteren samen en de dieren vergeten. Kort en goed, ze mogen me niet en laten we daarover nu maar uitscheiden en een vrolijker onderwerp van gesprek zoeken."

De deur klapte voor Gerts' neus dicht, al was het dan met een vriendelijke lach. Het was Gert trouwens meerdere keren opgevallen dat Vincie erg gedecideerd een eind aan een gesprek kon maken en dan viel er niets meer met haar te beginnen. Hij vond Vincie een erg boeiend meisje maar begrijpen deed hij niets van haar. Hij had wel eens gedacht, als hij haar volkomen onbewogen de dierenarts zag assisteren, dat ze een keiharde kant aan haar karakter had, als ze geen enkele emotie toonde.

„Wetenschappelijke hardheid," had hij gedacht. „Ze zou een heel goede dierenarts kunnen worden als ze wilde. Ze voelt wel veel voor alle dieren maar ze toont nooit met een blik of een woord dat het haar iets doet als zo'n diertje een ingrijpende operatie moet ondergaan. Jessy en Anneke zijn niet zo... ze zijn ook niet zulke bijster goede hulpen."

Het onderwerp hield hem zo bezig, dat hij onverwachts vroeg: „Waarom studeer jij eigenlijk niet door voor dierenarts, je lijkt er zo uitzonderlijk geschikt voor."

„O ja? Lijkt dat zo!" Ze trok haar wenkbrauwen op en overwoog kennelijk, wat er achter die vraag schuilging. „Neen, ik kan er wel naar kijken en helpen, maar ik zou het niet kunnen doen, een dier opereren. Neen, dit is voor mij net genoeg. Weet je, ik heb het gevoel, dat je dadelijk zult vragen: Wil de ware Vincie opstaan. Nou, je zult er in de loop van de tijd wel achterkomen hoe ik ben, maar ik kan het je helaas niet op een briefje geven, als een... als een soort recept."

„Sorry... zo bedoel ik het niet." Gert raakte met een snel liefkozend gebaar haar hand aan. „Ik vind je leuk en... ja, op de een of andere manier... eh, ongewoon, maar misschien denkt een man dat altijd van het meisje dat hij de moeite waard vindt."

„Dat zal het wel zijn!" gaf ze toe met twinkelende ogen en ze hief plagend haar glas naar hem op.

Het was een prettige avond en toch had Vincie voortdurend de indruk dat ze Gert op de een of andere manier, die ze niet kon verklaren, tegenviel. Ze had Jessy overigens zo vaak met hem zien fluisteren, en zij kon zich erg lief en zacht voordoen, dat de moeilijkheid misschien daar lag. Wist zij wat Jessy hem allemaal wijsgemaakt had? Ze overwoog ernstig of het niet beter was het ronduit te vragen maar het leek nog al een onmogelijke opgave: Wat heeft Jessy allemaal in je oor gefluisterd? Vrouwen, ook piepjonge, kunnen heel diplomatiek te werk gaan en daarom vroeg Vincie langs haar neus weg, of Gert het naar zijn zin had in de praktijk van Van Dulk en of hij het samenwerken met hem en de drie meisjes prettig vond.

„O ja, best hoor." Gert schoot in de lach. „Van Dulk is een prima vent en een enorm goed dierenarts en drie mooie meisjes om je heen is voor mij beslist geen straf. Ik ben niet zo'n trouwe ridder ... als je dat soms mocht denken."

De opmerking kwam totaal onverwachts, zodat Vincie hem een ogenblik zwijgend en stomverbaasd bleef aankijken.

„Waar slaat dat nou op?" vroeg ze daarna rustig. „Als dat een waarschuwing is, dat ik niets bijzonders moet denken van dit avondje uit, dan kun je echt gerust zijn. Ik ben niet op jacht naar een vriend. Ik denk, dat jij je ook in mij hebt vergist. Ik vind je best aardig maar je hoeft geen spijt van je uitnodiging te hebben ... ik verwacht heus niets, omdat je me een avond mee uit hebt genomen ... als jij dan ook maar niets verwacht."

„Vergeet het maar. Het was een domme opmerking," zei Gert haastig. „Het was niet erg taktvol maar wel eerlijk." Vincie haalde de schouders op, haar glimlachje leek vriendelijk maar was in werkelijkheid ijsgekoeld. Het kon niet worden ontkend dat ze zich zwaar teleurgesteld voelde in Gert. Het was toch helemaal niet nodig geweest om zo'n waarschuwende opmerking te maken en er dan tot overmaat van ramp aan toe te voegen: 'Als je dat soms mocht denken'. Dat maakte de opmerking zo persoonlijk.

„Wat denk je nu werkelijk?" vroeg Gert niet erg op zijn gemak onder de tamelijk spottende blik uit twee grote blauwe ogen.

„Vind je me een hufter of een verwaande kwast en denk je, met die

25

kerel ga ik nooit meer uit?".
„Dat klopt aardig." Ze schoot in de lach en deze keer zonder reserve.
„Ik zal er echt niet om treuren als je volgende keer Jessy of Anneke
mee uit eten neemt en zeur er nou niet meer over."
Gert voelde zich stevig op zijn plaats gezet en al had hij toegegeven
dat zijn opmerking niet taktvol was geweest, zo erg schuldbewust
was hij nu ook weer niet dat hij het zonder meer kon aanvaarden dat
Vincie hem de wapens uit de hand sloeg.
„Ik vind je een boeiend meisje en heel charmant, maar begrijpen doe
ik niets van je..." verzuchtte Gert, die eigenlijk altijd alleen maar
bewondering had geoogst en de meisjes maar voor het uitzoeken
had.
„Moet dat dan?" informeerde Vincie onverschillig. „De mensen moeten me nemen zoals ik ben en begrijpen... ach, misschien begrijp
ik mezelf niet eens goed... nog niet, in ieder geval."
Na deze opmerking zette ze gedecideerd een streep onder het
gesprek en begon over iets heel anders. Ze uitte haar niet malse
kritiek over een griezelfilm die ze pas had gezien en Gert vond haar
zo amusant als ze zo gezellig praatte, dat hij toch geen spijt van zijn
uitnodiging had.
„Vind jij griezelfilms echt leuk?" vroeg hij.
„O ja, hoor, maar alleen als het echt onzin is... niet als ze het serieus
gaan brengen. De onmogelijkheid moet er wel dik opliggen als ik het
leuk moet kunnen vinden," bekende Vincie vlot. „Die oudere films
zoals Jaws, King Kong, noem maar op... héérlijk griezelen over
onmogelijke dingen. Maar een echte spookachtige, serieuze griezelfilm zoals the Shining... neen, zo'n huiveringwekkende geestenge-
schiedenis... dat hoeft voor mij niet."
Er klonk duidelijk afkeer in haar stem, zodat Gert haar verwonderd
aankeek.
„Een erg knappe, boeiende film... ik heb er wel van genoten,"
bekende hij. „Het kwam door de helderziendheid van die kleine
jongen... jij gelooft daar natuurlijk niet in, maar..."
Vincie's tas viel met een klap op de grond, ze dook ernaar en grab-
belde een kammetje en een spiegeltje van de grond, met een rood
hoofd dook ze weer op. Ze had de tas gewoonweg van tafel geveegd,
in de hoop, dat het onderwerp dan wel van de baan zou zijn maar

26

dan kende ze Gert nog niet goed genoeg.

„We hadden het over die film ..." hervatte hij het gesprek. „Ik vond het een grandioze film maar jij niet?"

„Ik heb alleen gezegd, dat ik er niet mee dweep," corrigeerde Vincie kortaf. „En ik heb ook niet gezegd dat ik niet in helderziendheid geloof, maar misschien is het in werkelijkheid veel ... eh ... veel subtieler en hoeft het niet zo'n baaierd van verschrikkingen te worden als in the Shining ... Nu ja, dat is dan ook maar een film om te griezelen met alles erop en eraan, ongeveer zoals bij Hitchcock."

„Het kan mij niet sensationeel genoeg zijn," bekende Gert opgeruimd.

„Het is allemaal onzin, maar amusante onzin ... zulke dingen bestaan niet maar het is leuk verzonnen."

„Je bedoelt science fiction?" vroeg Vincie aarzelend. „Maar ik heb het niet over science fiction, maar over dingen zoals in the Shining ... natuurlijk bestaan er wèl dingen zoals ... nu ja, zoals het 'tweede gezicht' maar je moet daar nooit ... eh ... nooit sensatie achter zoeken of sensatie van maken ... Het bestaat, zonder meer, daarvan ben ik overtuigd. Ik weet ook niet hoe of waarom ... ik begrijp er niets van ... ik weet alleen, dat ik er wel van overtuigd ben dat er veel meer bestaat, dan wij met ons beperkte verstand kunnen bevatten."

„Ach, welneen, kind ... geloof me nou, het is allemaal onzin ... sensatiezoekerij ... iemand het geld uit de zak kloppen." Gert wuifde haar woorden weg alsof hij een mug van zijn gezicht wegjoeg. „De mensheid wil beduveld worden, we weten allemaal best dat zo'n film een verzinsel is, rare hersenspinsels van een knappe regisseur, maar we lopen er zo hard mogelijk naartoe om eens lekker te griezelen ... en dan later thuis ben je waarschijnlijk bang van iedere schaduw en ieder ongewoon geluidje, al is het nog zo onnozel ... Zeg eens, dat het niet waar is?"

Ze keek hem een ogenblik strak aan, toen glimlachte ze en ze zei rustig: „Ik zeg, dat het niet waar is wat jij beweert. Ik zeg helemaal niet dat ik achter die misschien erg overtrokken film sta, die ik niet heb gezien en waarvan ik dus niets weet, maar ik wijs beslist niet alles af en daar kan geen mens me toe brengen, dus spaar de moeite maar."

„Jaja, en dan kom je zeker dadelijk met verhalen die via-via lopen en nooit controleerbaar zijn," plaagde Gert haar. „Je weet wel, de broer van de schoonzus van de moeder van een vriendin van me... die heeft het zélf meegemaakt... Schei er toch mee uit, Vin."

Vincie haalde alleen maar de schouders op, ze had er absoluut geen behoefte aan Gert deelgenoot te maken van een gebeurtenis waarover ze nooit sprak, maar ze wist ook dat Gert - aardig, knap en oppervlakkig, die alles afwees wat hij niet kon begrijpen - voor haar nooit meer zou kunnen worden dan zo maar een aardige collega en een goede vriend.

Het gesprek bleef ook de hele avond aan de lichte, luchtige en wel gezellige kant, maar in feite vertelde Vincie niets over zichzelf. Het enige wat Gert, die toch wel geïnteresseerd was in haar jeugdjaren en haar familie, uit haar kreeg was, dat ze als kind een paar jaar in een heel aardig, stil dorp had gewoond, het daar best naar haar zin had en er nog steeds naar verlangde.

„Ik ga er nog vaak naartoe," zei ze zachtjes. „Het zijn vreselijk lieve mensen... allemaal..."

„Een beetje saai, zo'n dorp?" probeerde Gert, toen ze weer niets zei.

„O neen, helemaal niet." Ze schrok op en nu lachte ze hartelijk. „Ik had een enig vriendinnetje, ze heette Shireen maar werd door iedereen Troel genoemd, ze was een heel mooi klein Surinaams meisje en we haalden de dolste streken uit. Mijn oom was er burgemeester en Troel en ik hebben zelfs een keer kans gezien om een trouwerij grondig te verstoren, door op rolschaatsen de trouwzaal te doorkruisen, toen hij net bezig was een paar in de echt te verbinden ... hij was rázend... en terecht."

„Is die oom van je daar nog steeds burgemeester?" informeerde Gert, toen ze samen hartelijk gelachen hadden om deze dwaze herinnering. „Neen, hij kon het er niet uithouden, hij wilde de wijde wereld in en daarom zwerft hij nu al jarenlang met zijn vrouw en hun pietepeuterige hondje op een jacht over de wereldzeeën..." Ze zuchtte diep en opeens zag ze er verdrietig uit. „Ze vergeten onderhand, dat ze ook nog liefhebbende familie thuis hebben... Het lijkt wel alsof ze al tientallen jaren weg zijn inplaats van vijf... en ze wilden in het begin drie jaar wegblijven... drie jaar, het leek me onoverkomelijk... ik houd namelijk geweldig veel van die twee... Af en toe geef ik de moed wel eens op, dan heb ik het gevoel... ze

28

komen nog in geen járen... maar dat is natuurlijk onzin. Ik heb me nog nooit zo ongelukkig gevoeld als op de dag dat ze weggingen. Het klinkt misschien vreemd, maar ik was toen meer aan die twee gehecht dan aan m'n ouders, die... die... vaak op reis waren."

Onwillekeurig had ze nu toch opeens meer verteld, dan de bedoeling was geweest, maar Gert reageerde er nauwelijks op.

„Ja? Ja, een beetje vreemd, hè?" Hij glimlachte vriendelijk tegen Vincie. „Nou, ze komen wel weer terug, hoor. Wil je nog wat wijn, die is werkelijk heerlijk! Zeg, weet je wat we doen... samen naar die bewuste film gaan, die draait hier, dat weet ik zeker. Als je het erg griezelig vindt, zal ik je hand vasthouden... vriendelijk van me, hè? Ik wil die film voor de tweede keer zien."

Vincie keek hem een ogenblik zwijgend aan, toen kwam er een glimlach op haar gezicht, een beetje spottend ook.

„Neen, ik wil niet naar the Shining. Als je iets anders op je programma hebt staan, dan graag... maar het hoéft niet."

Ze zou er gewoonlijk geen punt van hebben gemaakt, als ze geen zin had ging ze toch wel mee als de andere partij er nu zo op stond een bepaalde film te zien, maar ze wilde gewoonweg niet naar the Shining en daar had ze haar reden voor. Gert vond haar blijkbaar alleen maar vervelend en dwars want hij wilde niet naar een andere film, hij was verder beleefd maar weinig enthousiast en dat begreep ze ook wel. „Het spijt me echt, hoor," zei Vincie. „Ik wil niet moeilijk doen maar vind het onderwerp van the Shining... nou, ik wil er gewoonweg niet heen en ik doe het niet om jou te plagen."

„Dat geloof ik ook wel." Gert draaide een beetje bij want hij vond Vincie nog altijd een aantrekkelijk meisje, zij het dan erg moeilijk. Het gesprek werd opnieuw gezellig. Gert maakte haar aardige komplimentjes, die ze best leuk vond en omdat ze toch al het schuldige gevoel koesterde dat ze Gerts avond min of meer verknoeid had, deed ze heel goedig alsof ze echt onder de indruk was van het feit, dat hij haar zo lief en zo mooi vond. Ze was er deugdelijk van overtuigd dat ze allesbehalve lief was en ook niet mooi, maar ze was echt wel bereid, onder de druk van de omstandigheden, te doen alsof ze zich heel erg gevleid voelde. Ze tafelden zo lang, dat de ober lichtelijk ongeduldig werd, wat Vincie toevallig zag toen ze zijn richting uitkeek. Ze had er begrip voor want ze wilde zelf ook wel naar huis, dus keek ze peinzend op het gouden horloge dat ze met Sint Nicolaas van mevrouw Graham had gekregen. „Je hebt toch geen haast?" vroeg Gert vleiend. „Het wordt nou net gezellig, alsof we opeens veel beter met elkaar kunnen opschieten, maar we zullen langzamerhand toch maar eens opstappen."

„Volgens mij rijd je ontzettend om," merkte Vincie op, toen ze volgens haar, de tegenovergestelde richting namen.

„O, je bedoelt naar jouw huis? Ja, dat is zo, maar ik ben eigenlijk op weg naar mijn huis. Ik heb heel gezellige kamers, kunnen we daar samen nog een kopje koffie drinken ... als jij het goed vindt," merkte Gert losjes op, hij twijfelde kennelijk niet aan haar toestemming. „Nou ... nee, ik vind het niet goed. Ik wil liever nu meteen naar huis," zei Vincie rustig. Ze zou dommer moeten zijn dan ze nu eenmaal was om in dat kopje koffie te geloven. „Ik weet best, wat je nou over me denkt, maar dat vind ik niet erg. Wees eens eerlijk ... gaat het om dat kopje koffie? Nee toch ... evenmin om de bezichtiging van je gezellige kamers ..." Ze zuchtte even.

„Wie heeft jullie mannen toch wijs gemaakt, dat ieder meisje waarmee je een avond uitgaat bereid is daar de prijs voor te betalen? Dat is dan misschien gewoonte, maar niet voor mij. Daar komt héél wat meer voor kijken, hoor Gert, dan zo maar een losse vriendschap, een avondje uit ... ik dank je hartelijk maar breng mij maar gauw thuis." Ze had eigenlijk nog heel wat meer willen zeggen; ze was doodgewoon razend om het gemak waarmee zo'n man verwachtte dat een meisje, dat hij nauwelijks kende, meteen mee naar zijn kamers trok.

„Ik weet niet wat jij voor een ouwerwetse truttebol bent," sprak Gert tamelijk giftig en diep beledigd.

„Dat zal best ... in jouw ogen, maar dat deert me niet. Ik ben namelijk niet zo goedkoop als jij denkt en ik verkwansel mezelf niet voor een avondje uit ... en voor niets dat de moeite niet waard is. Je zult het wel erg vreemd vinden, maar ik geloof altijd nog in liefde, al lijkt dat tegenwoordig wel een onfatsoenlijk woord ... een soort droombeeld, iets dat niet echt bestaat. Nou, dáár wacht ik dan toch maar even op en eerlijk gezegd had ik al heel de avond het gevoel, dat wij op een heel andere golflengte zitten en elkaar niet verstaan. Je hebt gewoon de verkeerde gekozen ... jammer voor jou, maar niet onherstelbaar."

Ze was langzamerhand zo scherp geworden, dat Gert nu pas goed nijdig werd en haar toesnauwde: „Doe niet zo superieur ... goed dan, ik breng je wel thuis en het zal lang duren voor ik met jou nog eens een afspraak maak ... jij bent niet van deze tijd."

„Ach neen? Nou, je vergist je, dat ben ik wel degelijk maar op m'n eigen voorwaarden ... en wat vind jij nou helemaal 'deze tijd'. Kom toch, Gert, heeft voor jou alleen maar tijdelijke waarde wat je zo gemakkelijk kunt krijgen? Het heeft toch helemaal niets met liefde of ... of ... wat voor dieper gevoel dan ook te maken ..."

„Moet dat dan?" vroeg Gert zeer koel en onverschillig.

Vincie zweeg en sloot haar ogen. Hoe kon ze hier nu nog tegenin praten?

„Ja, voor mij moét dat nog altijd," zei ze heel zacht. „Ik hoop van harte, dat ik nog eens iemand zal ontmoeten, waar ik met hart en ziel van kan gaan houden ... ik denk, dat je alleen dan een kans hebt om er iets van te maken ... en zelfs dan is hét al moeilijk genoeg."

„Wat een wijsheid," sneerde Gert, nog steeds woedend.

Vincie gaf er geen antwoord op, ze dacht aan haar ouders, die altijd van elkaar hadden gehouden en toch was er een paar jaar lang een grote verwijdering tussen hen geweest. Nu was alles goed maar dat hadden ze niet zonder oneindig veel moeilijkheden en verdriet bereikt.

Zo zie je maar, dacht Vincie een tikje bitter en erg teleurgesteld, je bent op Gerts knappe, vlotte uiterlijk afgegaan en voor hem schijnt dat voldoende te zijn om het grootste deel van de meisjes op zijn manier in te palmen. Ook een tegenvaller voor hem ... Ze grinnikte, het was donker en hij zag het gelukkig niet. Ze had geen medelijden met de veroveraar, het was misschien wel eens goed voor hem als hij ook eens meemaakte dat de gebraden duiven niet aan de lopende band zijn kamers binnenvlogen ... vreemde vergelijking!

Gert stopte niet bepaald stijlvol voor het tuinhek van huize Lieversen, zodat Vincie vooruitschoot en alleen de autogordel haar redde van een onzachte aanraking met de rand boven het dashboard.

„Sorry ..." zei hij toch wel geschrokken. „Dat was de bedoeling niet, hoor."

„Ach, laat maar ..." Ze knipte de gordel open en ze glimlachte tegen Gert. „Ook sorry, omdat het tussen ons zo'n geweldig misverstand is

31

geworden. Het is eigenlijk beter zò dan verder te sukkelen en ruzie te maken."

„Wacht even, Vin." Hij hield haar tegen met een hand op haar schouder. „Je bent dus erg in me teleurgesteld, hè?"

„Och, laten we liever stellen dat we in elkaar teleurgesteld zijn..." Ze lachte even, heel vriendelijk en begrijpend, en ze deed geen moeite om weg te komen. „Ik mag je heel graag, maar ik ben voor jou te... te... ernstig, te serieus... daar kan ik niets aan veranderen en dat zou ik niet eens willen. Ik doe nu eenmaal niets, omdat een ander het óók doet. Ik leef m'n eigen leven zoals ík dat het beste vind... en dat is ook jouw goed recht, Gert. Ik zal wel heel vaak hard en pijnlijk met m'n hoofd tegen de muur lopen... jij zult daar minder last van hebben, omdat je weinig eisen stelt aan een ander: geen liefde, geen echte vriendschap... misschien een tikje sympathie voor een leuk uiterlijk... Zo zou ik niet kunnen leven en ik wil het ook niet. Ik zou altijd te veeleisend zijn en meer vragen dan jij zou kunnen geven. Laten we nou alsjeblieft voortaan niet... niet lelijk doen tegen elkaar, goede collega's blijven en... ja... ook vrienden. Ik weet wel dat het meestal onmogelijk is dan te zeggen 'laten we vrienden blijven' maar in ons geval kan het wel, omdat we ... nou, omdat we niet werkelijk zoveel voor elkaar hebben betekend. We hebben eigenlijk direct ontdekt, dat we te verschillend zijn, het was een vergissing... zo zie jij het toch ook, of niet soms?"

Het bleef een tijd stil, toen lachte Gert, min of meer tegen wil en dank.

„Je bent een vreemd kind, maar ik mag je graag en dat is de waarheid. Het is ook verdraaid moeilijk om kwaad op jou te blijven, je bent zo eerlijk en dat kan ik toch wel waarderen. Ik kan overigens niet beweren dat ik je begrijp... Je hebt iets... ik weet niet hoe ik het moet zeggen, maar soms lijkt het erop alsof je het niet nodig vindt, dat de mensen je begrijpen."

„Je hebt me beter door dan je voor mogelijk houdt," zei ze met een lichte, zorgeloze lach. „Peins er maar niet langer over. Ik ben altijd een vreemde geweest... dat meen ik."

Ze wipte uit de auto, wuifde nog even naar hem en liep het tuinpad af. Gert was al weggereden voor ze naar binnen was gegaan.

Vincie keek verbaasd op toen de voordeur open werd gerukt nog

32

voor ze de sleutel in het slot kon steken.

„Mama! Wat is er gebeurd... iets met papa of Eddy?" vroeg ze dodelijk geschrokken. Ze greep haar moeder hard bij de arm.

„Neen... neen, dat niet. Oma belde op... we hebben bericht gekregen... Roy en Nicky worden vermist... sinds gistermorgen hebben ze niets meer van hen gehoord... het zal wel door de storm komen en er zijn zoveel schepen vergaan..." Vincie's moeder huilde, achter haar kwam Vincie's vader, lijkbleek, met Edje aan zijn hand. Ze wisten hoe Vincie aan Roy en Nicky hing. Vincie stond heel stil, de blauwe levendige ogen hadden een vreemde naar binnengekeerde blik.

„Ik geloof wel, dat ze het moeilijk hebben gehad... en het radiocontact is door een storing uitgevallen... het komt echt wel weer in orde," zei ze zo rustig, dat haar moeder haar verbluft en verontwaardigd aanstaarde alsof ze haar oren nauwelijks kon geloven. Dat was dan Vincie, die altijd beweerde dat ze zo geweldig gesteld was op Roy en Nicky en nu deed, alsof ze zich allemaal stonden aan te stellen, want er was niets aan de hand... volgens Vincie.

„Snap je eigenlijk wel wat ik tegen je zeg?" Ze schreeuwde het Vincie toe. „Wat is dat nou voor een reactie... dringt het wel tot je door, dat iedereen in zak en as is omdat ze vermist worden... VERMIST! En jij staat daar doodleuk te beweren dat we ons voor niets druk maken want er zal heus niets aan de hand zijn."

„Schei uit met schreeuwen," verzocht Vincie's vader zijn overspannen vrouw en hij sloeg zijn arm om haar schouder. „Kalm nou maar, je maakt Ed ook aan het huilen en het kind weet niet eens waarover het gaat. Je hoeft niet zo tegen Vincie tekeer te gaan."

Vincie keek met weerzin in haar ogen naar haar kijvende moeder.

„Het is niet mijn schuld, waarom doe je zo?" vroeg ze. „Maak je niet zo overstuur alsjeblieft. Ik zeg toch, dat het allemaal best in orde komt... ik zeg toch..."

„Oh, hou toch je mond!" Mevrouw Lieversen keerde zich om en liep de kamer in. Vincie wendde zich tot haar vader en ze strekte haar hand uit naar Eddy, maar hij had blijkbaar door het ongemotiveerde uitvallen van zijn moeder de indruk gekregen dat Vincie 'stout' was en hij wilde niet bij haar komen. Dat was voor Vincie, die stapelgek was op haar broertje, de druppel waardoor de emmer overliep.

„Wat bezielt jullie in vredesnaam?" Ze deed, met gebalde vuisten, een stap in de richting van haar vader. Ze zag spierwit en haar ogen flitsten van woede. „Waarom doen jullie zo vijandig tegen me, dat jullie Edje beïnvloedt ... Doe niet zo ... zo dwáás ... Het is toch niet mijn schuld dat er moeilijkheden zijn ... het was te verwachten, dat dit ooit zou gebeuren ... het had immers veel eerder kunnen gebeuren en alleen omdat ik jullie probeer te kalmeren begint mama tegen me te schreeuwen en jij ... en jij ..."

Ze keerde zich wild om en begon de trap op te rennen. De deur van haar kamer sloeg met een daverende klap in het slot.

Pierre Lieversen ging de zitkamer binnen. Carola was met haar moeder aan het telefoneren.

„Vincie weet het ... ja, ze kwam net thuis, maar zoals dat kind reageert ... alsof het haar niets doet ... ik snap dat niet, moeder!" Ze wenkte ongeduldig naar haar man, die stond te gebaren, dat ze het wat kalmer aan moest doen. „Ja, dat zegt ú, maar ... nou ja, ik bel nog wel terug. Dag moeder."

Ze verbrak het gesprek en keek met boze ogen naar haar man.

„Wat sta jij irriterend te gebaren? Wat ís er nou? Ik mag toch tegen moeder wel zeggen ..." begon ze opstandig maar Pierre viel haar in de rede: „Neen, dat mag je niét. Vincie had gelijk, het is toch háár schuld niet en waarom ben je zo kwaad, omdat ze niet handen-wringend in tranen uitbreekt, dat is gewoonweg sensatielust van je ... Maak in vredesnaam niet wéér blunders met Vincie. Je weet toch, dat Vincie nooit zo emotioneel reageert ... eerder voorzichtig en dat jou dat irriteert is een andere zaak."

„Waarom doet ze dan ook zo ... ik vertel haar, echt in paniek, dat er met twee mensen waar ze zoveel van houdt iets mis is en zij zegt doodleuk: 'Ach, het loopt wel los ...' of zoiets ... nou dan?" Carola werd opnieuw kwaad. „Ik begrijp dat kind niet."

„Neen, dat heb je nooit gedaan," mompelde Pierre, hij keerde zich om en liep naar boven, waar hij op de deur van Vincie's kamer klopte. Vincie zat met de armen om de opgetrokken knieën op de brede vensterbank. Ze keek onderzoekend naar haar vader, die zich omzichtig in een van haar voor zijn lengte te lage stoelen liet zakken. Ze grinnikte ondanks alles even, want hij zat zowat met zijn knieën tegen zijn kin.

„Wat een rotstoel... maar daar kwam ik niet voor," hij grinnikte voorzichtig terug. „Vin, mama meent het niet zo, ze is over haar toeren. Ik geef toe, dat ik er vrij... eh... stom bij stond te kijken en dat Edje de zaak toen verkeerd begreep, daar is hij dan ook nog maar een hummel voor."

„Dat zal allemaal wel..." zei Vincie met een diepe zucht. „Niemand bedoelt ooit iets verkeerd, maar bij ons is er nooit iets glad verlopen. Je weet best hoe het vroeger was en mama uit zich altijd zo emotioneel, daar heb ik genoeg mee te doen gehad toen we in het dorp woonden... ze knuffelde me halfdood als een ánder iets tegen me zei dat haar niet zinde, maar ze kon ongenadig tegen me tekeer gaan als ik eigenlijk niets bizonders had gedaan, ze begreep er niets van en het was ook allemaal wel moeilijk... Ik geloof, dat Roy af en toe zo opgewonden reageerde omdat mama geen boos woord tegen mij pikte, terwijl ik echt een kleine duivel was, hoor. Soms heb ik het gevoel, dat ze me alleen maar lastig vindt in huis en dat ze veel gelukkiger zou zijn met jou en Eddy... ja, dat zál dan wel, maar voorlopig ben ik er nog."

„Gelukkig maar. Ik zou je niet graag missen, Vin, en dat meen ik, maar natuurlijk maak ik ook fouten. Ik kan niet ontkennen, dat ik ook nogal verbaasd was over je kille reactie. We hadden er nogal over in gezeten, dat we je dit beroerde nieuws over Roy en Nicky moesten vertellen... de hele avond... Mama was op van de zenuwen, ook om jou. Kun je je dat niet voorstellen, dat het niet was omdat ze 'sensatie' zocht maar omdat ze het eenvoudigweg niet kon begrijpen dat je zo rustig reageerde?"

„Ja, ja, dat zal wel zo zijn maar... voelde jij het ook zo, alsof ik tekort schoot?" Ze keek haar vader strak aan en ze wist, dat hij er niet omheen zou draaien.

„Ja, ik kon het ook niet verklaren," gaf hij eerlijk toe. „Maar je reageert zo vaak anders dan ik verwacht."

„Misschien ook anders dan ik zélf verwacht." Ze leek tenger en weerloos, zoals ze daar zat, het hoofd op haar knieën geleund. „Ik wil het niet maar het gaat buiten mij om... als ik nou, zo maar... érgens... opeens zeker weet, dat er niets ernstigs met Roy en Nicky is... want als het wèl zo was geweest had ik het al eerder gevoeld ... dan kan ik toch moeilijk huichelachtig in huilen uitbarsten? Ik

ben helemaal niet gelukkig met die ... eh ... die ingevingen van me, als je dát soms denkt, maar ze zijn er nou eenmaal en ik weet niet wanneer ze komen ... Ik heb het maar te aanvaarden en ik wil er helemaal niet over praten. Ik ben nog steeds zielsblij dat niemand van de familie ooit dat verhaal over ... over Kenneth wereldkundig heeft gemaakt, weet je dat wel? Ik vond dat achteraf bezien mooi, maar ik heb het niet gezocht, ik ben nou eenmaal zo ... maar ik ben er niet blij mee, geloof dat maar. Ergens maakt het je erg eenzaam ... zoals nu. Mama weet dat toch ook, waarom doet ze dan zo?"
„Ja, waarom? Is het toch niet gedeeltelijk je eigen schuld?" vroeg Vincie's vader voorzichtig. „Als jij bijvoorbeeld gezegd had: Mama, wat érg ... ik schrik er natuurlijk van maar ik voél gewoonweg, en je weet dat het bij mij iets betekent als ik *dat* zeg, ik voel dat het goed komt en dat we echt binnenkort wel weer van ze zullen horen. Kijk, dat komt een tikje anders over dan wanneer jij geen spier vertrekt als je zo'n noodbericht hoort en alleen zonder meer zegt: Het komt echt wel weer in orde. Op zo'n ogenblik heeft je moeder niet dóór, dat je weet wat je zegt ... dat kun je dan dom van haar vinden maar zij kent dié wereld van jou nu eenmaal niet."
„Jij dan wel?" vroeg Vincie geïnteresseerd.
„Neen," gaf hij aarzelend toe. „Neen, dat niet maar ik reageer nu eenmaal minder heftig dan je moeder en daar kan ze ook niets aan doen."
„Neen, dat zal wel." Vincie haalde de schouders op. „Ik weet ook helemaal niets over Roy en Nick, maar ik voel me gewoonweg ... nou ja, blij, helemaal niet verdrietig en op zo'n ogenblik weet ik ook helemaal niet waarom ik spontaan verklaar, dat de radio wel kapot zal zijn, dat is overigens het eerste wat iedereén beweert, dus dat is zo bizonder niet."
Haar vader was blij, dat ze het voorval relativeerde, zoals ze dat altijd had gedaan.
Eddy was de volgende bezoeker, hij kwam binnen en liep zonder meer naar zijn zusje toe.
„Ik wil bij je zitten," zei hij.
„Goed ... is Vincie weer lief?" vroeg ze en ze tilde hem van de grond.
„Liéf ..." echode de kleine jongen en voor Vincie was het incident daarmee gesloten. Ze knuffelde het manneke eens stevig.

„Komen jullie beneden?" Vincie's moeder keek naar binnen, ze deed nogal aarzelend en een beetje beschaamd. Ze had gehuild.

„Kom er in, moeder, dan houden we hier familievergadering," zei Vincie heel gewoon en zonder rancune.

„Vin, luister eens... ik..." begon Vincie's moeder maar Vincie wuifde haastig met haar hand.

„Laat maar zitten, mam. Het was weer een danige kluwen misverstand, het herinnerde me even heel sterk aan onze tijd in het dorp." Ze zette Ed op de grond en stond op. „Ik denk, dat ik oma maar eens ga bellen, ze kan een beetje troost waarschijnlijk best gebruiken, al uit ze zich nooit zo erg."

„Vincie..." haar moeder hield haar tegen, toen ze langs haar wilde lopen. „Meende je wat je zei?"

„Meende ik echt... wat bedoel je... oh, dát!" Vincie keek haar moeder peinzend aan, toen glimlachte ze heel lief en geruststellend. „Ik denk, dat we Roy en Nick nu echt wel binnen niet al te lange tijd terugzien ik weet weer niet waarom ik dat denk... maar ik ben blij... écht blij en helemaal niet verdrietig. Dat zal best weer iets betekenen... voor zover ik mezelf ken, dus geef de hoop vooral niet op." Vincie ging haar grootmoeder opbellen, die oprecht blij was met het gesprek.

„Dag kind... dag Vincie?" zei ze en haar stem klonk minder rustig dan gewoonlijk. „Je hebt het wel gehoord, hè? Ik ben wel erg ongerust maar niet zo hopeloos als Carola... die kookt altijd meteen over. Of gaat het wel met haar?"

„Nou, ze is al overgekookt maar nu gaat het wel weer." Vincie's stem klonk rustig, een tikje spottend. „Zo is mama nou eenmaal altijd maar het hindert niet, hoor. Ze was nogal boos op mij, omdat ik te lauw reageerde op het bericht van de vermissing... maar echt, oma, ik bén niet bang en volgens mij is er niets bizonders gebeurd. Dat wilde ik je even zeggen en ik hoop dat jij het niet verkeerd zult opvatten, al denk ik dat niet want je bent altijd de rust zelve geweest... gelukkig voor mij."

„Kind, wat ben ik blij dat je me belt," zei oma uit de grond van haar hart. „Je weet best, dat ik je echt niet zie of wil zien als de voorspellende kleindochter die het allemaal zo goed dient te weten, verre van dat... maar er gaat op ogenblikken als deze een enorme rust van je

37

uit en dat waardeer ik erg, Vinnie. Ik was aan een beetje troost hard toe."

„Zal ik vrijdagavond naar je toekomen?" vroeg Vincie. „Ik kom graag."

„Ja, blijf dan het weekend," accepteerde oma gretig. „Leuk dat je wilt komen. Ik verheug me er al op ... tot vrijdagavond dan."

Niemand had later commentaar op het feit, dat Vincie met het weekend naar oma zou gaan. Daaraan waren ze gewend.

Aan tafel was de stemming goed maar Vincie's moeder was zo nerveus, dat Vincie nog net de schaal met sla redden kon van de ondergang, waarop Eddy met spijt in zijn stem zei: „Bijna ..."

Ze schoten alledrie in de lach en dat brak de spanning, want Vincie's moeder zei met een diepe zucht: „Ik lach wel maar ik voel me helemaal niet blij ... natuurlijk zit dat van Roy en Nicky me toch erg dwars en ... ja, ook, dat ik weer zo nodig een grote mond tegen jou moest zetten, totaal overbodig."

„Mama, dat hebben we uitgepraat en laat het er nou bij," weerde Vincie af met een geruststellende lach naar haar moeder. „Als ik het zélf niet begrijp, wel aanvaard, maar ècht niet begrijp, hoe zouden jullie dat dan kunnen? In feite is er ook niets bizonders. Ik voel de dingen vaak eerder en beter aan dan een ander ... nou, daar heb ik niet om gevráágd en het is knap lastig maar je moet er ook niet tegen vechten en dat doe ik dan ook maar niet. Wees dan nou maar blij, - omdat ik het nou eenmaal zo voel - dat Nick en Roy echt niet omgekomen zijn. Ik weet best, dat je nou denkt dat ik me kan vergissen ... ja, natuurlijk is die mogelijkheid er, ik ben geen orakel maar zelf ben ik niet bang voor het lot van Roy en Nicky."

Vincie's vader zei niets maar hij had diep medelijden met zijn vrouw. Hij wist dat ze zielsveel van Vincie hield en toch altijd het gevoel had, dat ze de boot had gemist. Vincie wist dat, maar ze kon er evenmin iets aan veranderen hoe ze ook haar best deed. Mama was nu eenmaal altijd een mens van uitersten geweest. Vroeger, in het dorp was het al zo. Vincie mocht alles en het volgend ogenblik mocht Vincie helemaal niets en Vincie vrijbuiterde er dus op haar eigen houtje tussen door, met redelijk succes maar dat was voor een deel aan Roy's vrouw Nicky te danken. Wat mama nu deed, zichzelf schuldgevoelens aanpraten, zodra er maar even een hard woord viel,

38

was volgens Vincie onnodig en verkeerd en beslist niet haar wens maar ze kon er weinig aan veranderen. Uitpraten hielp voor één keer maar bij het volgende kleine conflict kregen ze een herhaling en Vincie begon het een beetje moe te worden.

De volgende morgen was de toestand onveranderd, er was geen enkel bericht binnengekomen. Noch goed noch slecht dus, redeneerde Vincie nuchter, wat haar alweer een gekwelde blik van haar moeder opleverde. Vincie zei ongeduldig en boos: „Schei er nou eens mee uit ... ik word er doodlam van ... snijden kan je de sfeer hier ... leuk voor Edje."

„Vincie matig je een beetje," verzocht haar vader geprikkeld.

„Ik word dol van jullie!" schreeuwde Vincie opeens heftig en haar felblauwe ogen schoten werkelijk vonken. „Wat doe ik hier nou ooit goed? Laat mama dan eens normaal doen, hè? Goeiemorgen ... mij zie je niet bij de lunch, ik blijf in de stad ..."

Ze smeet de voordeur daverend achter zich in het slot. Binnen bleef het even stil, toen vroeg Carola klaaglijk en met een gezicht als de verdrukte onschuld: „En ik heb helemaal niéts gezegd om haar boos te maken ... helemaal niéts, Pierre. Je bent erbij geweest ... nou dan?"

„Neen, had je maar wél iets gezegd," verzuchtte Pierre verdrietig.

„Je hebt alleen gekeken alsof je ter slachtbank werd geleid omdat Vincie niet geëmotioneerd reageert als jij een opmerking maakt over Roy en Nick ... láát dat dan ook. En ze heeft gelijk, Ed zit zodoende eeuwig in een ruziestemming."

„Ja, nou zal ík het nog gedaan hebben," schreeuwde Carola furieus en ze rende de kamer uit. Eddy keek, met een hap brood achter zijn kiezen, in de richting van zijn vader en vergat te kauwen.

„Eet maar, kerel," zei zijn vader en hij klopte liefkozend op het handje van zijn zoontje. „Mama en Vincie zijn een beetje verdrietig en daarom doen ze zo."

„O," zei Eddy na enig nadenken en met een diepe frons boven zijn heldere ogen. „Ja, maar ... als ík verdrietig ben huil ik ... ja hé, pappa, als je verdriet hebt ga je huilen en ik schreeuw als ik boos ben ... ja toch?"

„Ja hoor, je hebt gelijk maar echt boos zijn ze heus niet ... eet nou maar anders komen we allebei te laat." Pierre nam zijn zoon iedere morgen mee en zette hem dan bij de kleuterschool af.

Vincie kwam bij van Dulk binnen en zoals gewoonlijk stokte het gesprek. Daar was ze al aan gewend, maar deze keer stond Gert er ook bij en dat gaf haar het onaangename gevoel dat ze over haar hadden gepraat, wat ze deze keer wel kwalijk vond omdat het haar toch wel erg tegenviel van Gert. Dat de avond niet aan zijn verwachtingen had beantwoord had ze best begrepen maar ze vond het toch wel erg beneden peil, dat hij daar op de een of andere manier de meisjes deelgenoot van had gemaakt.

Zo zie je maar, dacht ze cynisch, trap er niet meteen in als een man er leuk uitziet en zich sympathiek voordoet want dan ren je een levensgrote teleurstelling tegemoet als je alles gelooft wat hij je wijsmaakt. Ach, hij vond mij natuurlijk een ouderwets en onhandelbaar exemplaar... nou, dat mag dan!

Knappe Gert had zijn nederlaag blijkbaar heel slecht kunnen verwerken, want hij draaide opzichtig om Jessy heen, die zich daar erg blij mee toonde en telkens triomfantelijk in Vincie's richting keek. Toevallig troffen de meisjes elkaar in de gang bij de kast waar de voorraad honde- en kattevoer was opgeslagen.

„Kan ik er even bij?" vroeg Vincie kortaf.

„O ja, hoor." Jessy kwam achterwaarts uit de diepe kast met een pak hondevoer in haar armen en keek spottend naar Vincie. Toen ze langs haar liep mompelde ze: „Vlot aan de kant gezet, hè? Met zo een als jij kan een man als Gert toch niet opschieten... O ja, nog even dit: ik ga vanavond uit... met Gert, dus ik hoop dat ik een beetje op tijd weg kan."

„Je doet maar... aan mij zal het niet liggen," antwoordde Vincie onverschillig. „Sta daar niet te aarzelen, kind... de druiven zijn niet zuur als je dat soms mocht denken. Gert en ik zijn niet van het zelfde slag, dat zal hij jullie trouwens wel verteld hebben... neem ik aan."

Ze had intussen gevonden wat ze zocht en ze liep langs Jessy heen zonder haar nog een blik waard te keuren.

Van Dulk had spreekuur bij de Dierenbescherming dus kon er openlijk gepraat worden. Jessy deed onmiddellijk haar beklag bij Gert en Anneke, waarop Gert naar het burootje stapte waar Vincie nota's zat te schrijven.

„Het is niet nodig Jessy te beledigen, Vincie," zei hij hooghartig. Ze keek verschrikt op. „Wie is er beledigd? Jessy begon tegen mij te praten over jou en jullie afspraak en ik heb gezegd, dat jij en ik geen enkele overeenkomst hadden. Wat is daar beledigend aan? Ik heb méér reden om boos te zijn als een man met me uitgaat, ontdekt dat ik niet degene ben waarvoor hij me heeft gehouden en hij is zo in zijn eer getast, dat hij me onmiddellijk zwart gaat maken bij mijn collega's... zo is het toch, nietwaar Gert?"

„Ach kom, zo erg is het ook weer niet, jij neemt alles te zwaar op, dat is het juist." Gert haalde onverschillig de schouders op.

„Ik weet niet wat jij je verbeeldt te zijn... van beter makelij als het doorsnee meisje misschien?"

„Neen, maar ik leid m'n leven zoals ík dat wil en niet zoals jij vindt dat ik zou moeten doen," gaf ze vinnig terug. „Het kan me niet schelen dat ik een vergissing heb gemaakt, en jij ook, maar ik vind het erg vervelend dat je op deze manier wraak neemt, over iets waar we geen van beiden iets aan kunnen doen."

„Ach, het is niet alleen dat hoor Vincie," Anneke vond het nodig zich ermee te gaan bemoeien. „Gert heeft echt niet zoveel gezegd over jullie samen, dat jullie eigenlijk over niets hetzelfde denken... wat óns tegenstaat is de ijskoude manier waarop jij reageert als je allernaaste familie vermist wordt. De hele wereld weet het intussen, we hadden eigenlijk wel medelijden met je, omdat je het wel eens over hen had en wij de indruk kregen dat je van die mensen hield ... Maar geen woord hoor, geen trek op je gezicht, totaal geen zenuwen... of ben jij soms de enige die niet weet, dat je oom en tante vermist worden? Als ik toch ook maar iéts van jou snap... nou, en dáárover hebben we, eerlijk gezegd, staan praten met z'n drieën."

„Nou, ik wist het gisteravond nog niet toen ik met Gert ben gaan eten, als dát je gerust kan stellen," zei Vincie met afkeer in haar stem. „Zou het je zoveel genoegdoening hebben gegeven als ik vanmorgen volkomen over m'n toeren was binnengekomen? Je wist nog niet hoe ik zou reageren en je stond al met z'n drieën te fluisteren toen ik binnenkwam, dus dat was om te zien hoe ik zou reageren en dat viel zwaar tegen, beken het maar. Vincie kwam niet huilend en handenwringend en over haar toeren binnen. Wat jammer voor jullie, hè? Ik ben ook echt niet van plan me te gaan verdedigen... dat zou je wel willen maar ik doe het gewoonweg niet, het gaat je niets aan... en hou er nou allemaal je mond over."

Als ze nu maar flink kwaad was geworden, zouden ze er ruzie over hebben kunnen maken maar nu wisten ze niet wat ze er mee aan moesten. Vincie bleef zwijgend en schijnbaar stug doorwerkend aan haar buro zitten, met de rug naar de kamer. Ze had alleen een hoogrode kleur en de tranen kropten in haar keel maar dat wilde ze niet weten.

De stemming was zo ijzig dat toen van Dulk tenslotte kwam, hij verwonderd over de ongewone stilte en rust rondkeek. Ruzie, dacht hij, ze trekken allemaal gezichten als oorwurmen... wat hangt me nou weer boven het hoofd. Die Gert is óók niet wijzer dan dat stel. Er werd alleen iets gezegd als van Dulk iets vroeg en dan nog met zo weinig mogelijk woorden, de sfeer was letterlijk om dikke plakken van te snijden. Van Dulk had zich wel eens beklaagd over het geklets en gezeur maar alles was beter dan deze stemming, teveel rust deugde ook weer niet. Het viel ook de bezoekers op. Iedereen keek een beetje verwonderd rond, want er werd geen grapje gemaakt of beantwoord en iedereen deed beleefd, maar meer niet.

Het begon van Dulk danig op de zenuwen te werken en na een juist bizonder lang spreekuur sloot hij met een zucht de deur achter de laatste patiënt, ging met zijn rug tegen de deur staan en stak de handen diep in de zakken van zijn witte jas. Zijn donkere ogen gleden van de een naar de ander en weer terug.

„Het liefst zou ik jullie allemaal met de koppen tegen elkaar rammen," aldus sprak de dierenarts tussen zijn tanden. „Ik heb nog nooit zo'n zenuwslopend stel meegemaakt... of jullie kakelen m'n oren doof, of jullie zeggen geen van allen een woord... en je hoeft niet al te bijdehand te zijn om te merken dat jullie tijdens mijn afwezigheid ruzie hebt gehad. Net een stel kleine kinderen, als de meester even de deur uit is breekt de storm los... en wat, voor de donder, is hier gebeurd?"

Niemand gaf antwoord, men keek niet bepaald op zijn gemak uit het raam en naar het plafond, Jessy stond een kleine poedel in haar linkerarm met de rechterhand zo fanatiek te aaien, dat het beest ervan piepte.

„Ik heb iets gevraagd. Wil iémand antwoord geven?" vroeg van Dulk met de tekenen van een opstekende storm in zijn stem.

Nog zei niemand iets, tot Vincie opstond en een stap vooruit deed. „Als niemand iets te zeggen heeft, zal ik het moeten doen," zei ze en ze haalde met een triest gebaar de smalle schouders op. „Het is moeilijk om het in een paar woorden uit te leggen maar de hoofdzaak is, dat ze het geen van allen eens zijn met... eh... met mijn opvattingen over een en ander... Het is de hele gemeente hier zwaar tegengevallen dat ik, nu mijn oom en tante vermist worden, vanmorgen zonder uiterlijke tekenen van emotie hier ben binnengekomen. In feite was dat natuurlijk de stok die je moét vinden als je een hond wilt slaan... het is gewoonweg de hele stemmingmakerij tegen mij die me allang niet lekker zit. Ik vind het werk hier héérlijk maar de sfeer onderling deugt niet en ik kan er niets aan veranderen, omdat ik... nu eenmaal ben zoals ik me voordoe, niet beter en niet slechter. Maar dat schijnt nooit genoeg te zijn en hier kan ik niet meer tegen, eerst was het twee tegen een, dat is nu drie tegen een geworden en daarom ga ik weg."

Van Dulk schrok hiervan. Vincie werkte het best, niets was haar teveel en hij kon goed met haar opschieten, hij vond het dan ook allesbehalve aangenaam dat ze weg wilde.

„Toe nou, Vincie, moet een misverstand meteen zo hoog oplopen?" probeerde hij te bemiddelen. „We kunnen het toch rustig met z'n allen uitpraten. Ik vind dit echt vreselijk jammer. „Willen jullie het allemaal uitpraten, lui?"

„Ja, waarom niet," stemde Gert toe en de meisjes knikten instemmend al was het niet van harte.

„En jij, Vincie?" vroeg van Dulk.

„Neen, ik niet! Voor praten is het te laat na al dit getreiter. Het wordt toch nooit meer goed," weerde Vincie af. „Ik vind het echt jammer want ik werkte hier graag maar ik ben niet van plan geestelijk voortdurend op m'n tenen te gaan lopen. Ik bedoel, dat ik er niets voor voel bij ieder woord, bij iedere handeling erbij te moeten denken of mijn collega's het wel met me eens zullen zijn. Ik wil ontspannen kunnen werken en dat is hier niet meer mogelijk voor mij."

„Ben jij dan zo moeilijk?" vroeg van Dulk zacht. „Die indruk kreeg ik nooit van je."

„Moeilijk? Ach neen, dat geloof ik niet." Ze haalde een beetje hulpeloos de schouders op. Meer wilde ze niet zeggen maar later vroeg van Dulk haar nog even te blijven, hij wilde beslist weten wat er nu eigenlijk gebeurd was.

„Ik wilde niet zeggen waar de anderen bij waren, dat ik niet moeilijk maar een tikje anders ben." Ze glimlachte een beetje verdrietig. „Ze zouden me meteen weer verdacht hebben van hoogmoed en verbeelding en dat is het niet. Gert en ik vonden elkaar iets meer dan aardig en gingen een avond samen uit, maar... nou, tijdens ons gesprek aan tafel kwamen we eigenlijk al tot de ontdekking dat we voortdurend langs elkaar heen spraken maar dat zou niet het ergste zijn geweest. Zijn ideeën van een gezellig avondje uit klopten niet met de mijne. Bovendien is Jessy gecharmeerd van Gert en jalouzie speelde dus ook een rol. Ja, en als ik dan geboycot word als ik 's morgens nietsvermoedend verschijn en er wordt me verweten dat ik me niets van de vermissing van m'n familieleden aantrek, dan is de maat wel vol. Ik kan gewoonweg niet anders dan weggaan want anders voorzie ik voor u ook een allesbehalve prettig werkklimaat en er kan er beter één weggaan dan drie tegelijk, nietwaar?"

„Je zult wel gelijk hebben maar ik vind het erg vervelend, op zijn zachtst gezegd, Vin. Ik mag jou en je manier van werken erg graag maar ja... misschien ben je te serieus voor dit edele drietal, dat zal dan wel. Kijk, van mij hoef je echt niet weg en als je spijt krijgt, als de stormen zijn gaan liggen, zeg het dan en we praten er toch nog over... als jij wilt."

„Ik weet zeker, dat ik niet meer wil..." Ze aarzelde even, voegde er dan spontaan aan toe: „Ik ga een tijdje weg. Eerst ga ik naar m'n oma en als ik weet hoe het met Roy en Nicky is en iedereen is gerustgesteld, wil ik een tijdje naar Engeland."

„Heb je daar familie wonen?" vroeg van Dulk geïnteresseerd.

„Neen, maar er is een héél oude dame, waar ik vreselijk veel van houd. Iedere keer denk ik: Als het nou maar niet voor het laatst is geweest dat ik haar heb gezien maar gelukkig is ze er altijd nog en ze zal het erg fijn vinden als ik voor een paar weken bij haar kom, dat weet ik heel zeker."

Ze namen als vrienden afscheid want Vincie was niet van plan om terug te komen nu van Dulk het met haar eens was dat er toch niet meer samengewerkt kon worden op deze manier.

44

Zo verdween Vincie uit de praktijk van dierenarts van Dulk, waar ze het werk toch bizonder fijn had gevonden. En dat alles door onbegrip en jalouzie.

HOOFDSTUK 3

Vincie's ouders vonden het niet verstandig, dat Vincie zonder meer het veld had geruimd en haar moeder zei ronduit dat ze het een nederlaag vond maar Vincie dacht daar nu eenmaal anders over. „Ik ben overgevoelig voor sfeer en ik kan hier gewoonweg niet tegen," zei ze kortaf. „Het maakt me ziek, dat geroddel, al die achterklap, mensen die plotseling hun mond houden als je binnenkomt. Dat is niet de sfeer waarin ik kan leven en het zal me een zorg zijn hoe ze het zien, het voornaamste is dat ik niet in die sfeer kan leven en daarom ben ik weggegaan."
„Er is altijd wel wat," merkte haar moeder kribbig op. „Geen enkele werksfeer is ideaal te noemen."
„Neen, daar zal ik het dan ook best moeilijk mee hebben," gaf Vincie rustig toe. „Het is nu eenmaal helemaal niet prettig als je zó open staat voor dergelijke indrukken. Een ander kan er misschien, al is het onprettig, de schouders over ophalen, maar bij mij blijft zo'n houding branden als ... als bijtende stof in een wondje. Ik kan het niet anders uitleggen, dat is nu eenmaal zo en daarom ga ik weg."
Een uur later kregen ze het bericht door dat er met het jacht 'Sylvi' van Roy en Nicky niets aan de hand was. De radioverbinding was tijdelijk uitgevallen door een defect, dat nu kennelijk verholpen was, en alles was goed aan boord.
„Het is zoals jij gezegd heb," zei Vincie's moeder, ze schoot in de lach. „Ik zie aan je gezicht, dat je graag zou zeggen: Zie je wel, ik heb het je toch gezegd, maar je bent te tactvol omdat te doen en daarom zeg ik het zelf maar."
Vincie belde meteen haar grootmoeder op, die bekende dat ze geen oog had dicht gedaan en toch hevig in angst had gezeten.
„Slaap dan nu maar fijn uit en ik kom voor een lang weekend, want ik heb m'n baan opgezegd, ik vertel wel waarom als ik bij je ben, tot

vanavond oma." Ze belde af en dacht met een warm gevoel aan de altijd lieve en rustige grootmoeder, een van de weinige rustpunten in haar leven als twaalfjarige, toen het allemaal zo moeilijk voor haar was, maar oma door alle stormen heen de rust zelve bleef.

Vincie vertrok enkele uren later naar haar grootmoeder. Eddy huilde omdat zijn zuster wegging en hij wilde beslist mee.

„Jongetje ik wil je best meenemen maar ik denk dat mama het niet goed zal vinden." Vincie had haar broertje op de arm genomen en probeerde het verdrietige kereltje te troosten.

„Waarom zeg je dat nou?" vroeg Vincie's moeder tamelijk vinnig. „Nou ben ík weer de boze moeder die niet goed vindt dat hij meegaat."

„Wat een onzin, laat hem dan meegaan," stelde Vincie voor. „Ik kan heus wel op m'n broertje passen, dat weet je."

Ze keek vragend naar haar vader maar die haalde de schouders op. „Dat moet mama maar beslissen," maakte hij zich er gemakkelijk af. „Welja, hoor, mama beslist wel," viel Carola Lieversen uit met hoogrode kleurtjes van opwinding. „En mama zegt néén, ik heb er nou niet op gerekend."

Om Eddy niet nog meer van streek te brengen zweeg Vincie liever. Het pakken van de koffer voor zo'n ventje was toch zo gebeurd, oordeelde ze. Maar daar kon ze beter niet over doorzagen, want ze wist heel goed, dat de werkelijke reden jalouzie was. Mama was lief maar ze bleef chaotisch, zoals ze altijd was geweest en daar viel niets aan te veranderen. Vincie suste Eddy zo goed mogelijk maar hij bleef boos en dreinerig en hij wilde haar niet nazwaaien. Vincie wist zeker, dat haar ouders er nu over gingen kibbelen waar Eddy bij was. Vincie zuchtte en wilde er verder niet aan denken. De blauwe eend hobbelde plezierig over de weg in een zeer gematigd gangetje. Het was een heel oud beestje en hij kon gewoonweg niet harder maar dat hoefde ook niet voor Vincie. Vincie parkeerde haar wagentje pal voor oma's huis. Dat kon gemakkelijk omdat er toch geen verkeer was, niet veel in het dorp en in oma's verscholen laantje helemaal niet. „Dag Vincie, fijn dat je er bent." Oma kwam met jeugdig élan het tuinpad af, ze was niet noemenswaard ouder geworden in de voorbije jaren maar Vincie had oma dan ook niet anders dan met prachtig wit haar gekend.

46

„O, wat is het hier toch verrukkelijk! Zo zonnig, zo rustig... zo...
zo intens 'thuis'." Vincie keek met genietende ogen in de grote
kamer rond, de eerste indruk was, dat er alleen maar bloemen en
planten stonden op ieder beschikbaar plekje, de meubels waren heel
mooi maar oud en hier en daar was er een kussen gezellig ingezakt
... Een fijn, bewoond huis waar je echt in kon leven inplaats van op
visite zitten. Vincie krulde als vanouds haar voeten onder zich op de
bank, nadat ze haar schoentjes had uitgeschopt en genoot intens van
de pittige, grote 'bak koffie', want oma schonk voor 'Vincie de kof-
fieleut' nooit nette kopjes maar enorme bekers vol. Vincie kneep
haar blauwe ogen tot spleetjes en leek volgens oma precies op Witje,
de Siamese poes die zich op de vensterbank koesterde in de zon.
Oma vroeg ook niets, dat kwam later wel. Zij was altijd de rust zelve
en dat waardeerde Vincie zo in haar.
„Ik heb geen baan meer, dat is m'n eigen schuld," begon Vincie nadat
ze haar koffie op had. „Ik kon in die ruziesfeer, die achterdocht en
... en alles wat er zo bijkwam niet werken. Misschien is dat niet
verstandig in jullie ogen maar moet ik het dan eerst tot nog groter
onaangenaamheden, echte ruzie en steeds meer ongenoegen laten
komen? Kijk, dat zag ik nou niet zitten... wat vind jij ervan, oma?"
„Als je in deze tijd van schaarste aan banen een fijne baan weggooit,
moet je daar wel een goede reden voor hebben... denk ik." Oma
keek peinzend naar het hoofdje met het in de zon koperkleurig glanzende haar. „Ik weet dat je veel waarde aan die baan hechtte. Als je
dan, ondanks alles, een streep eronder trekt en weggaat, dan doe je
dat niet zo maar omdat je zo graag weer eens iets nieuws wilt."
„Ik heb het erg moeilijk met dat besluit omdat ik het zo heerlijk
vond om met dieren te werken en waar krijg ik zo gauw opnieuw
zo'n kans?" Ze zweeg even, voegde er dan zachtjes aan toe: „Van
Dulk vond het jammer dat ik wegging. Hij meende dat echt maar ik
kon niet anders, oma. Niemand kan gedijen in de sfeer die dáár
heerste... en dat is het niet alleen maar ik weet, dat ík er nog
minder tegen kan dan andere mensen... Mijn, mijn innerlijk...
mijn geest staat zo wijd open voor zulke negatieve indrukken, ja...
ook voor positieve, gelukkig wel. Ik heb voor mezelf uitgemaakt, dat
ik de dingen nu eenmaal op een niet te verklaren manier opvang...
Ik geloof dat ieder mens een ingebouwde zender heeft, maar de

mijne is sterker en dat heb ik aanvaard, ik moét wel. Alleen, je hebt het er niet zo gemakkelijk door. Als ik die sterke zender, want zo zal ik het maar noemen, niet had, zou ik ook nooit dat van Kenneth hebben kunnen opvangen. Ik had het er niet gemakkelijk mee, maar ik was er wel blij mee, omwille van Kenneths ouders. Het klinkt vreemd, oma, ik heb het nooit tegen iemand gezegd ... ik heb heimwee als ik er aan terug denk, maar ik kan dit heimwee helemaal niet thuisbrengen, zie je. Het was goed, het is afgedaan, voorbij ... maar ik weet niet of het wel ooit echt voorbij is."

„Ik geloof niet dat ik je nu begrijp." Oma kwam er meteen rond voor uit inplaats van begrijpend te knikken en dat waardeerde Vincie in haar.

„Neen ... nou is dat ook wel heel moeilijk uit te leggen. Voor mij was Kenneth een vriend geworden maar ik kon 'm nooit echt bereiken, vanzelfsprekend niet, maar soms denk ik ... wat zou ik 'm graag echt gekend hebben ..." Ze lachte opeens helder en vrolijk. „Dan realiseer ik me opeens dat Kenneth als hij nog had geleefd nu een echte oude heer zou zijn geweest en niet de jongen die ík gezien heb, maar hij is jong gestorven en daarom jong gebléven in ieders brein."

„Het heeft dus toch wel veel invloed op je gehad, dat hele gebeuren. Ik vraag me soms wel eens af, of we er goed aan hebben gedaan er niet meer met je over te praten. We wilden het in geen geval aan de grote klok hangen en ik geloof wel dat je dáár blij om was, maar toch ... Het was of het nooit is gebeurd, zo zwijgzaam ben je daar zelf over."

Mevrouw van Lingen streelde de witte poes die op haar schoot was gesprongen met een automatisch gebaar, dat Witje niet erg waardeerde want ze ging er op zachte voetjes weer vandoor en keerde terug naar haar plaatsje op de vensterbank. Vincie lachte erom en vergat te antwoorden, tot het tot haar doordrong, dat oma nog op antwoord wachtte.

„Ik zou geen raad hebben geweten als de buitenwereld er zich mee had bemoeid, ik wil het trouwens ook helemaal niet wéten voor vreemden, want dat komt altijd verkeerd en sensatieachtig over. Neen, het was goed zo," zei ze haastig. „Hoewel ... het heeft z'n moeilijke kanten om te zwijgen. Eén van de moeilijkheden die ik op m'n werk heb gehad, was het feit, dat ik niet emotioneel heb

48

gereageerd toen Roy en Nicky vermist werden. Het was wel zo, dat de sfeer toen al grondig verknoeid was en ze gewoonweg iets zochten maar ik kan me de gezichten wel voorstellen als ik had bekend: Ik weet dat ze leven en gezond zijn... Oma, ik moet er niet aan dénken."

„Wat ga je dan nu doen?" vroeg oma nadat ze Vincie opnieuw een enorme mok koffie had ingeschonken. „Direct solliciteren?"

„Neen, ik ga eerst een paar weken naar Engeland, daar verlang ik echt naar. Het is alweer een paar maanden geleden en dan heb ik altijd weer het gevoel dat ik het toch maar liever niet moet uitstellen ... tante Hazel is al zo héél oud maar gelukkig nog wel gezond. Bovendien is het al zulk mooi weer en ik kan van zon en zee genieten als het even meezit met het weer als ik daar ben. „Oma, vindt u ook niet dat het onderhand wel eens tijd wordt dat Roy en Nick thuiskomen? Die reis lijkt wel eindeloos. Wie had dat ooit gedacht, hè? Het zijn intussen echte zeezwervers geworden. Roy heeft ingehaald wat hij ooit tekort is gekomen als burgemeester van zo'n klein dorp, waar eigenlijk weinig te beleven viel...

Maar het was toch een zalige tijd, kattekwaad uithalen met Troel. Ach, die Troel... ze is nou echt Shireen, nog even lief en trouw, maar ja... haar leefpatroon is een tikje anders dan het mijne en dan zie je elkaar natuurlijk minder, vooral ook omdat zij buiten de stad woont."

Vincie gierde het opeens uit. „Weet je nog oma, die keer dat ik met Shireen de trouwzaal doorgeschaatst ben tijdens een trouwerij? Roy was ziédend. Hij had ons wel kunnen vernielen, geen wonder. Het vervelende was dat Shireen op school altijd de schuld kreeg, maar we hebben genoten, dat staat vast."

Oma genoot nu in ieder geval, Vincie was altijd vrolijk en gezellig en ze lachten heel wat af als de verhalen van vroeger opgehaald werden.

„Nick is een schat, dat zal ze tenminste nog altijd wel zijn," zei Vincie nadenkend. „Zij ving de hele zaak prachtig op... het drong toen eigenlijk niet zo tot mij door, dat ze het hele publiek van dat tuinfeest te pakken nam met die idiote overdreven avondkledij waarin ze paradeerde... dat was overigens om Liselot te plagen. Zeg oma, hoe gaat het met Liselot? Ik heb er eigenlijk nooit meer iets

49

van gehoord, dus een filmberoemdheid zal ze wel niet zijn geworden. Als ik hier ben zie ik haar vader of moeder wel eens, maar Liselot niet."

„Ik geloof dat ze het wel aardig doet als fotomodel," zei oma vaag. „Ik zie haar af en toe nog wel eens, ja ... maar ze komt niet zo dikwijls thuis. Daarom zie je haar ook nooit en jullie waren ook niet bevriend, er is natuurlijk een groot leeftijdsverschil .... Toevallig is ze er nu wel ... voor zover het bij jou 'toevallig' genoemd kan worden dat je nu net wel naar haar vraagt."

„Ze deed altijd erg vervelend, ik kreeg de indruk dat ze zich ver boven ons allemaal verheven voelde en dat ze achter Roy aanzat ... Nou oma, kijk maar niet zo gechoqueerd, het is de waarheid. Het zou niets voor haar geweest zijn, het rauwe leven op zee ... Maar dat dachten we van Nick ook, Nicky met al haar sjieke kleren ... Weet je oma, ik heb ze destijds met tranen met tuiten uit staan wuiven en als ze - ooit - terugkomen sta ik te juichen aan de haven, geloof dat maar."

Vincie had alweer te lang stilgezeten, ze slingerde haar benen van de bank, viste haar schoentjes op met haar tenen en keek nog eens genietend rond in oma's paradijs.

„Ik ga nou even wat bloemen halen ..." Vincie lachte met een nadenkende uitdrukking in haar sprekende ogen. „Ik heb Kenneths ouders destijds beloofd, dat ik altijd voor het graf van Kenneth zou zorgen, maar ik hoef alleen maar bloemen te brengen als ik kom. Er groeit geen overbodige grasspriet, er zijn altijd beeldige planten en er is geen mosgroeisel tussen de letters te bekennen. Ik geloof zelfs, dat ze die marmeren plaat af en toe met de borstel en zeep bewerken, het is gewoonweg smetteloos ... Het is en blijft de erezaak van iedereen hier ... Natuurlijk zal dat later wel slijten, als de kleine kinderen van nu volwassen zijn, misschien dat ik tegen die tijd echt m'n best moet doen het mooi te houden ... Maar dat weet je niet zeker, het kan ook wel een soort overlevering worden, ook voor de kinderen. Een monument dat je altijd in ere blijft houden ... Nou oma, ik ga even, ik ben binnen een half uur wel terug."

Even later zag oma haar voorbijlopen met lange, onverschillige passen, die toch een losse elegance hadden. Alles wat Vincie aantrok stond haar leuk, dacht oma met trots. Wat is dat kind voordelig opgegroeid, ik had het nooit durven denken. Enfin, dat is dan meegenomen want het is en blijft een schat van een kind.

Vincie kocht in de kleine goedvoorziene supermarkt een grote bos witte rozen, een aparte bloemenwinkel bezat het dorp niet.

Vóór Vincie haar weg kon vervolgen had ze al een half dozijn malen stilgestaan omdat iedereen die ze tegenkwam haar aanhield. Tenslotte schoot ze haastig een smalle zijweg in en besloot dan maar tien minuten via het bospad om te lopen en zo kwam ze door de smalle achteringang op het kerkhof...

Het was iedere keer opnieuw een emotioneel gebeuren voor Vincie. Kenneths rustplaats liet haar nooit onverschillig, daarvoor was er destijds teveel gebeurd. Ze had altijd zo zuiver het gevoel dat hier een goede vriend van haar rustte en ze ging ook het liefst alleen. Ze praatte niet hardop maar in stilte sprak ze wel, zo maar, heel simpel... Dag Kenneth, hier ben ik weer. Ik ga weer naar je moeder, Kenneth. Ach, het waren zo maar wat losse woordjes, ze kende Kenneth immers, ze had hem gezien en hem een vriend genoemd. Vincie knielde neer en legde de rozen op de woorden: *Niemand weet van waar hij kwam*... Want dat wisten ze sinds vijf jaren wel, er was later een kleine eenvoudige steen onder gelegd met de inscriptie: Na 35 jaren kwamen wij te weten, dat zijn naam KENNETH GRAHAM is.

Vincie kwam overeind en deed een stap terug. Achter zich hoorde ze kiezel kraken en verschrikt keek ze om.

Daar stond Liselot. Ze was weinig veranderd en nog altijd had ze die spottende, ontevreden ogen.

„Hallo," zei ze nonchalant. „We komen allebei vaak genoeg hier en toch hebben we elkaar jarenlang niet ontmoet. Ik zag je lopen in de Dorpsstraat en ik dacht, ze zal wel naar het graf gaan... Typisch zoals jij dat volhoudt ofschoon je hier allang niet meer woont. Waarschijnlijk een soort jeugdsentiment van je."

„Neen, beslist niet," zei Vincie nogal kortaf. „Ik was er bij betrokken omdat ik toevallig de spulletjes van Kenneth heb gevonden, misschien herinner je je dat?"

„Oh, sorry hoor!" weerde Liselot kwasi verschrikt af. „Je bent nog altijd even lichtgeraakt. Je zette de boel destijds mooi op stelten met die, eh... die Troel."

„Daar waren we kinderen voor." Vincie haalde de schouders op en keek verveeld weg van het mooie, vrij harde gezicht tegenover haar, „en mijn jeugdvriendin heet niet 'dié Troel' maar Shireen."

Vincie slikte de hatelijke vraag „hoe is het met je filmcarrière" maar in, want het interesseerde haar niet en bovendien vond ze het niet prettig op deze plaats een waardeloos gesprek te houden.

Liselot was echter niet van plan weg te gaan.

„Zie je Shireen nog wel eens?" vroeg ze. „Ik dacht dat de vriendschap destijds al een eind bekoeld was, omdat jij een geheimzinnig vriendje had... ergens buiten het dorp. Je was er wèl vroeg bij. Heb je 'm later nog wel eens gezien? Roy was er destijds goed boos over, hè?"

Vincie sloot haar ogen, ze voelde dat ze wit wegtrok en ze klemde haar handen tot vuisten, om de onweerstaanbare neiging te weerstaan een klap in dat spottende gezicht te geven.

„Hoe kom je aan die nonsens." Vincie opende plotseling haar ogen, ze waren heel diep blauw en zo verschrikkelijk snijdend boos dat Liselot een stap terug deed en dacht: Wat een furie! Maar dat is ze altijd geweest... je kunt er beter niet mee vechten!

„Ach, in een dorp wordt altijd gekletst," probeerde ze zich er haastig vanaf te maken. „Shireen was erbij betrokken, dus het zal wel van háár komen."

„Ik kan het me niet voorstellen en zeg jij niet zulke onzinnige dingen. Ik heb nooit 'een vriendje' uit het dorp gehad... dat weet je heel goed, Liselot. Volgens mij heeft Shireen daar ook verder nooit over gepraat maar als kinderen hebben we een tijdje ruzie gehad omdat ik een enkele keer wel eens alleen wilde rondtrekken. Shireen nam dat niet, ze was teleurgesteld en vertelde dat ik wel een vriendje zou hebben of zoiets... en aan dergelijke onnozele kinderbabbels ga jíj jaren later giftige conclusies vastknopen... Liselot, ronduit: ik vind het gemeen van je en laat me nou voorbij." Ze stapte met opgeheven hoofd langs de tamelijk verblufte Liselot heen!

Ze kwam bevend van verontwaardiging bij Oma in de keuken binnenrollen.

Oma, die druk bezig was met eten koken, keek verbaasd op.

„Wat is er met jou aan de hand?" vroeg ze op haar bekende rustige manier die het moeilijk maakte zo opgewonden te blijven reageren.

„Liselot, ik heb Liselot ontmoet, ze kwam me na... Oh, wat heb ik een hekel aan dat schepsel!" Vincie plofte op een stoel neer. Oma ging tegenover haar aan de keukentafel zitten en knikte. „Ja, het is me bekend dat ze geen vriendin van je is. Vertel me maar eens wat er is gebeurd."

Ze luisterde zwijgend naar Vincie's verhaal en daarna bleef het stil. „Nou, wat zeg je ervan?" vroeg Vincie ongeduldig en nog steeds kwaad.

„Het is geen vriendelijke of fraaie opmerking, dat is waar, maar je weet hoe Liselot is..." Oma hief met een gebiedend gebaar haar hand op. „Neen, luister even voor je weer verder raast. Ik geef immers toe, dat het een onvriendelijke opmerking is maar in feite ben je er erg van geschrokken, omdat jij, en wij, weten dat er méér achter dat gebabbel over dat zogenaamde vriendje van jou zit. Een verhaal dat ons zo lief is, dat we doodsbang zijn dat een vreemde er aan zal raken... Je voelde je bedreigd, omdat je opeens zag dat er nog steeds gepraat wordt over jouw handel en wandel in het dorp... Je was ook een uitzonderlijk wezentje voor hen. Maar een feit is dat jij, voor zover ik me herinner, best wel eens tegen Shireen hebt gezegd dat je een vriendje had. Kindergebabbel. Je wilde destijds van Troels' eeuwige aanwezigheid af omdat er iets was dat jij alleen zag. Kenneth! Je zei dus tegen Shireen dat je een vriendje had... Shireen, diep verontwaardigd omdat ze zich een tijdlang op de achtergrond gedrukt voelde, vertelde dat natuurlijk wèl verder, onder andere aan Nicky, die zo verstandig was de zaak tot op de bodem uit te zoeken. Roy was niét zo verstandig, je weet heus nog wel wat een rel er van kwam toen hij Troel tegen jou hoorde klagen dat je naar je 'vriend' ging... Ja kind, je denkt toch niet dat alles wat zich tamelijk in het openbaar afspeelt volkomen geheim blijft, zeker niet in zo'n dorp als het onze... Dus is over die 'vriend' destijds best gepraat, al heeft niemand het zó ernstig genomen omdat men later wel begreep dat het allemaal op romantische kinderpraatjes berustte...

Dat dachten ze gelukkig en daarmee was het bekeken, maar je moet natuurlijk de mentaliteit van Liselot hebben om dat nu eens fijn op te lepelen tegenover jou alsof iedereen in het dorp best weet wat een stiekemerd Vincie destijds was... Zo is het niét... dat denkt niemand, iedereen mag je graag en dat weet je best. Je had er waarschijnlijk alleen maar je schouders over opgehaald als... ja, als

Kenneth er niet geweest was. Is het niet zo, Vincie?"

„Ja..." zei Vincie zacht. Ze streek vermoeid over haar gezicht en ze sloot opnieuw haar ogen. „Het was... ja, het was erg... ingrijpend in het leven van zo'n klein meisje. Ik wist er toch ook geen raad mee en daarom... waar zou ik zonder Nicky zijn geweest. Ik ben haar altijd zo geweldig dankbaar gebleven, zoals ze me toen opving... Ik kwam op die afschuwelijke zondagmorgen bij haar, in een veilige haven en had opeens het gevoel, nu is het goed, nu kan me niets ergs meer gebeuren, zo is het ook gegaan. Ja, en ik kon vroeger toch goed met iedereen opschieten, het hele dorp vond me een kleine lastpost maar ze mochten me toch wel. Ik had nooit moeite met contacten leggen maar tegenwoordig gaan alle leuke contacten op de een of andere manier de mist in en ik kan er niets aan doen."

Oma keek peinzend naar haar kleindochter, toen stond ze resoluut op om zich met het eten te gaan bemoeien.

„Welnee, kind," zei ze nuchter. „Bekijk het nou niet zo overdreven. Zoiets als op je werk kan voorkomen, dat was voornamelijk jalouzie. Dat die Gert en jij elkaar totaal niet bleken te begrijpen is toch ook niet abnormaal en wat Shireen betreft, je ontgroeit zo'n jeugd-vriendschap al laat je elkaar nooit helemaal los. Je kijkt opeens overal zo somber tegenaan, dat komt zeker door die ontmoeting met Lise-lot... het kind heeft helaas een verkeerde uitwerking op de meeste mensen maar dat is haar eigen schuld."

Vincie begon te lachen om de wijze waarop haar altijd rustige en laconieke grootmoeder de moeilijkheden even tot normale propor-ties terugdraaide. Ze was er haar wel dankbaar voor maar ze had toch het gevoel, dat het anders lag. In gedachten draaide ze de ring met de bloedkoraal, die ze destijds van Kenneths moeder had gekregen om en om. Ze was heel erg aan die ring gehecht en droeg nooit een andere. Het was de ring die Kenneth vroeger aan zijn moeder cadeau had gedaan en na de wonderlijke gebeurtenissen, waarbij een klein meisje – Vincie – Kenneth zijn indentiteit had teruggegeven en daardoor zijn bejaarde ouders een ongelooflijk geluk had geschon-ken, had mevrouw Graham die kleine dierbare ring aan Vincie's vinger geschoven.

Vincie deed de ring zelden af, zo bang was ze dat ze deze kwijt zou raken. Als iemand ooit een opmerking over het kleine, bizonder

mooi bewerkte ringetje maakte, werd Vincie terughoudend en vertelde alleen dat ze het ringetje geërfd had, maar ze vertelde nooit van
wie. Het was deze terughoudendheid, die toch wel Vincie's hele we-
zen kenmerkte, die de mensen vaak irriteerde. Vanaf het punt 'Kenneth' was de vrolijke flapuit, de altijd op ondeugende streken be-
dachte Vincie, veranderd in een gesloten meisje, dat met heldere,
waakzame en toch wel vriendelijke ogen het leven inkeek. Die geschiedenis en het vertrek voor jaren van haar oom en Nicky, die haar
steeds hadden geholpen, waren daar de oorzaak van geweest. Roy
had haar inderdaad geholpen maar pas nadat Nicky hem de ogen had
geopend. Het was nu allemaal voorbij ... of toch niet?
„Je hebt mevrouw Graham destijds beloofd altijd, ook als zij er eens
niet meer is, voor het graf van Kenneth te zorgen ... maar het kost
je niet veel moeite om die belofte te houden, hè? Alles wordt zo
prachtig onderhouden door de mensen hier en toch ... jouw eerste
gang is toch altijd daarheen, dat treft me steeds weer," zei Vincie's
grootmoeder onverwachts. Ze sprak er eigenlijk nooit over.
Het duurde vrij lang voor Vincie antwoord gaf, er lag een peinzende
een beetje verwonderde uitdrukking op het sprekende gezichtje.
„Neen, het is ook geen opoffering voor me ... integendeel. Ik weet
ook niet precies wat me trekt, oma. Het is een soort ... heimwee.
Hoe gek het ook mag klinken. Ik heb Kenneth echt gezien zoals hij
was, niet als een ... als een schim. Hij was ... hij was jong, en ik
vond 'm een vriend om trots op te zijn. Ik weet niet hoe ik het je
anders duidelijk moet maken, ik wilde helemaal niet, dat hij steeds
zo snel wegging ... ik vond het erg, toen ik hem niet meer zag, nooit
meer zag ... Het was gewoon voorbij maar ik kon het nooit meer
écht vergeten ... Ik weet nu nog – en ik voel die sfeer nog zo sterk
aan, die sfeer in het ouderlijk huis van Kenneth – toen ik, klein
eigenwijs kind-met-staartjes en sproeten, bij die oude mensen de
kamer binnenkwam en het levensgrote schilderij van Kenneth zag
en 'Maar dat is Kenneth' riep ... Dat was overtuigend met één
uitroep, want hoe kon ik, zo'n kind, weten wie die jongeman was die
meer dan dertig jaar geleden was gesneuveld? Niemand behalve Nick
en Roy, die erbij waren, heeft ooit kunnen begrijpen wat het voor me
heeft betekend en ik weet dat ik daarna veranderd ben maar daar kan
ik niets aan doen ... Nog steeds als ik bloemen ga brengen bij

Kenneth heb ik dat vreemde gevoel: hier ligt iemand die ik persoonlijk gekend heb..."

Ze glimlachte en er kwam een ondeugend sprankelend lichtje in
haar blauwe ogen: „Kenneth zal in zijn jonge jaren thuis en later, in
uniform, weinig moeite hebben gehad met veroveringen. Hij was een
heel aantrekkelijke jongen, hij had blauwe ogen, onverschillig krul-
lend blond, dik haar en een soort kuil, of gleufje, in zijn linkerwang
als hij lachte. Alleen links, niet rechts... erg grappig, en het was ook
een sterk gezicht. Het klinkt nogal zoet 'blond haar, blauwe ogen en
de rest', maar zo was het beslist niet. Het was gewoon een leuk, flink
gezicht... Ja, ik heb het goed gezien en bovendien, ik kijk al jarenlang, telkens als ik er langs kom naar dat schilderij bij mevrouw
Graham aan de muur."

Mevrouw van Lingen knikte instemmend, maar ze had liever gezien
dat Vincie wel afstand had kunnen nemen van gebeurtenissen die
voor haar zo ingrijpend waren gebleken. Gelukkiger was ze er beslist
niet door geworden maar misschien zou het anders zijn gelopen als
Roy en Nicky niet waren weggegaan. In feite had oma Vincie vroeger
al gezien als een eenzaam kind en ze was een eenzaam meisje geworden, ze paste niet in het alledaagse patroon.

Shireens ouders woonden nog steeds in het dorp, ze hadden het er
bizonder naar hun zin. Marchena was ook de rechterhand van de
huidige burgemeester. Shireen die vrij regelmatig haar ouders kwam
bezoeken, hoorde die avond, dat Vincie bij haar oma was en belde
meteen op.

„Wat leuk dat jij er ook bent. Ik kom even naar je toe," riep ze
enthousiast zoals alleen maar Shireen kon zijn. „Kunnen we weer
eens bijpraten over de goede oude tijd."

Mooie Shireen kwam met een enorme bos witte rozen voor oma
binnenwandelen kort na het middageten. Mevrouw van Lingen be-
dankte haar hartelijk voor de rozen maar de twijfel stond zo dik op
haar gezicht te lezen dat Shireen met een schittering van ongelooflijk
mooie tanden het uitgierde. Vader Marchena was beroemd in het
dorp om zijn zorgvuldig behoede rozenkweek.

„Niet stiekem gedaan, hoor," zei Shireen. „Pa heeft ze gegeven, voor
u alleen mag dat... Nee zeg, ik zou me niet meer durven vertonen
als ik het lef had zijn kostbare rozen te stelen. Ik durf wel wat, maar

56

daar waag ik me niet aan."

Mevrouw van Lingen en Vincie lachten hartelijk mee en de prachtige rozen werden met zorg in een kristallen vaas geschikt.

„En hoe maak je het... alles fijn?" vroeg Shireen, ze knikte hartelijk tegen haar jeugdvriendin.

„Het gaat... ik ben m'n baan kwijt maar dat heb ik zélf gewild," deelde Vincie onverschillig mee. „Weet je dat Liselot ook thuis is? Ik heb haar al ontmoet ook... ik zat er niet op te wachten."

„Neen? Neen, dat zal wel niet," mompelde Shireen, ze keek over de rand van haar koffiekopje met haar karbonkelzwarte glansogen naar Vincie. „Waarom zeg je het zo nadrukkelijk? Is er wat met Liselot?"

„Hè, moet dat nou, Vincie?" vroeg haar grootmoeder geïrriteerd. „Ga er nou weer niet over drammen."

„Welnee, ik dram niet, ik wil alleen weten waar ik aan toe ben."

Ze keek naar Shireen, die haar kopje had neergezet en haar, klaar voor de strijd, uitdagend aanstaarde. Shireen zat ontzettend snel te paard, zoals haar vader het misprijzend noemde, te gauw beledigd. Soms begrijpelijk maar niemand werd daar beter van, zo spraken haar ouders maar Shireen, die in de stad woonde en heel erg strijdbaar was geworden, nam niets dat haar niet beviel, ook niet van Vincie.

„Je hoeft niet direct te kijken alsof ik je ik-weet-niet-wat wil aandoen," zei Vincie kalmpjes. Op haar althans maakte Shireens houding geen indruk, daarvoor kende ze haar te goed. „Als je het een leuk woord vindt, wil ik het je meteen teruggeven: Ik discrimineer namelijk niét, maar je bent m'n vriendin en die kunnen elkaar de waarheid zeggen en het kan me dan geen barst schelen of je wit, zwart, geel of bruin bent... je bent m'n vriendin, niet meer en niet minder... Ik heb echt niet zonder meer aangenomen wat Liselot vanmorgen zei. Dat jij enorm over die vroegere 'vriend' uit m'n kinderjaren geroddeld zou hebben... Oma dacht, en ik ook, dat je gewoon destijds over je ongenoegen gemopperd hebt en je had geen reden daar stiekem over te doen, maar het gemene van Liselot is dat ze het doet voorkomen als een roddelcampagne van jou. Nù, niet van vroeger... maar van de laatste tijd!"

„Nou, het is natuurlijk ook niet waar," zei Shireen kwaad. „Figuren als Liselot doen niet veel goeds; ze moest eens proberen te wérken

inplaats van rond te hangen en nog steeds op pa's zak te teren."
Ze zweeg even en voegde er spottend aan toe: „Hoewel ... ik was als
kind ontzettend nijdig op je toen je me verwaarloosde en ik geloofde
dat echt, dat van die vriend, maar dat had je tenslotte zélf gezegd,
weet je dat nog? Ik heb nooit geweten of het waar was of dat je
gefantaseerd had, ik denk het laatste omdat niemand die vriend van
je ooit in levende lijve heeft gezien."
„Fantasie ... ja, dat zal het wel geweest zijn," antwoordde mevrouw
van Lingen maar Vincie zei niets. Er helemaal niet over praten was
iets anders dan Kenneth verloochenen, ze kon het eenvoudigweg
niet. Omdat haar grootmoeder waarschuwend bleef kijken en Shireen nieuwsgierig op haar antwoord wachtte, gaf ze tegen haar zin
toe: „Ik heb nooit iemand uit het dorp ontmoet, dat is de zuivere
waarheid."
Shireen knikte tevredengesteld, met toch het vage gevoel, dat er iets
niet klopte maar ze zou niet hebben geweten waardoor. Vincie was
nu eenmaal vrij karig met wat voor uitleg over haar gevoelens dan
ook. Shireen, die zelf de flapuit van vroeger was gebleven, begreep
nog steeds niet, dat zo'n malle meid als kleine Vincie was geweest
zo enorm had kunnen veranderen.
Ze is altijd zo op haar hoede, dacht Shireen teleurgesteld. Telkens als
ik haar ontmoet hoop ik Vincie te ontmoeten en ik ontmoet telkens
weer een vriendelijke maar gereserveerde vreemde. Waarom geef ik
het niet op? Waarom blijf ik achter haar aan hollen en waarom vertel
ik haar wèl alles ... over m'n mislukte liefdes, van m'n pech met
banen, van ... nou ja, van alles. Zij zegt niets ... ach, nou ja, misschien is er ook helemaal niets te vertellen.
Shireen ging vroeg naar huis, ze slenterden samen het brede tuinpad
af.
„Nou, dag ... tot ziens," zei Shireen, en toen gooide ze er opeens uit:
„Waarom ben je toch zo ... zo anders dan vroeger, zo gesloten."
„We veranderen toch allemaal, we zijn geen kinderen meer ... als je
dat bedoelt?" Vincie keek haar vragend aan met een vage vriendelijke
glimlach om haar mond.
„Dat bedoel ik niet en dat weet je best." Shireen keerde zich vierkant
om en stapte op hoge spitse hakjes naar huis, zonder om te kijken
toen Vincie haar nariep: „Shireen ... luister nou eens!"

58

Shireen luisterde niet meer. Ze was teleurgesteld en beledigd en ze nam zich voor, Vincie voortaan links te laten liggen. Voor haar hoefde het zo niet meer, maar ze wist, dat ze Vincie altijd weer zou zoeken.

Vincie bleef nog even staan, toen liep ze langzaam naar binnen. Haar gezicht stond allesbehalve vrolijk.

„Shireen was kwaad... maar ik weet eigenlijk niet waarom?" zei ze aarzelend. „Wat wil ze nou eigenlijk dat ik zeg?"

Het bleef even stil, toen zei oma op haar bekende uiterst nuchtere wijze: „Het is niet wat je zegt maar *hoe* je het zegt en je bent ongeveer net zo spontaan tegen het kind als een vis. Ze begrijpt dat niet, hoe zou ze ook, en denkt dat je iets tegen hááR hebt."

„Dat heb ik natuurlijk niet en als ze dat denkt, kan ik haar niet zo maar van het tegendeel overtuigen. Ze liep trouwens boos weg en ze wilde ook niet meer luisteren." Vincie aarzelde, voegde er dan zachtjes aan toe: „Het zou anders zijn als Shireen, toen ze nog Troel genoemd werd, niet zo'n flapuit was geweest die alles wat ze hoorde met de grootste spoed doorkwebbelde. Je kon haar nooit een 'geheim' toevertrouwen, ze vertelde het prompt verder. Ze had echt geen kwade bedoelingen, ze was nou eenmaal zo, een enig kind om mee te spelen en kattekwaad uit te halen maar geen vertrouwelijke vriendin. Ik weet niet hoe ze nu is, daarvoor ontmoet ik haar te weinig... een flapuit lijkt ze nog steeds. Dat wist ik vroeger al, oma, dat ze te goeder trouw kwebbelde en ik vind zoiets een ramp. Als iemand mij iets vertelt, dan zwijg ik erover en zie je, daardoor komt het volgens mij dat twee jeugdvriendinnen later zo uit elkaar kunnen groeien... Het spijt me wel dat Shireen boos is maar wat kan ik er aan doen? Ik ben helemaal niet onvriendelijk tegen haar geweest..."

„Maar je hebt haar wel teleurgesteld," vulde oma haar onafgemaakte zin aan. „Ze heeft, omdat ze je weinig ontmoet, niet geleerd ermee te leven dat jij, tegenover ieder van ons, altijd een zekere afstand bewaart... Tegenover mij niet zo erg maar ik merk het toch wel. Die barrière doorbreken valt moeilijk... De mensen die je collega's waren slaagden daar al helemaal niet in en jij helpt ze niet. Misschien kun je er ook niets aan doen maar dat isolement van jou, ja, dat maakt me vaak ongerust en ik vraag me af of buiten Eddy, mevrouw Graham en ja, ik misschien, iemand jou echt kan bereiken. Nick en

Roy ja, zij vooral en ik weet hoe je naar hun terugkomst verlangt ...
maar toch, ga dáár niet op zitten wachten, Vincie ..."

„Ik wacht nergens op," zei Vincie kribbig en hooghartig. „Je laat niet
véél van me heel, hè oma? Wat ben ik dan eigenlijk volgens jou voor
een kil monster?"

Ze wilde de kamer uitlopen maar haar grootmoeder pakte haar in het
voorbijlopen bij de pols en trok haar naast zich neer op de bank.
„Nee Vin, dat denk ik niet. Ik hou verschrikkelijk veel van je en ik
wil dat je, op wat voor manier dan ook, gelukkig probeert te worden.
Niemand kan je daarbij helpen, je moet het met jezelf eens worden
... Weet je dat ik heel vaak denk: was dat met Kenneth maar nooit
gebeurd ... het heeft een enorme invloed gehad op je leven tot nu
toe."

„Dat moést gebeuren, ik heb die gave nu eenmaal," zei Vincie en ze
haalde ongeduldig de schouders op. „Ik ben er niet blij mee, dat weet
je allang, maar toch ... ik zou het niet hebben willen missen, omdat
het Kenneths ouders heel erg gelukkig heeft gemaakt."

Ze boog zich naar haar grootmoeder toe en kuste haar op de wang,
maar met spontaniteit had het niets te maken. Zo spontaan als een
vis ... Vincie hoorde de woorden nog in haar oren klinken. Los-
komen van jezelf, dat ging zo maar niet op commando ... het gebaar
waarmee ze haar hand op oma's schouder legde was veel vriendelijker, zachter en liefdevoller dan de wat koele kus op oma's wang.
„Ik ben moe ... ik ga maar naar bed," zei ze en ze stond op. Deze
keer hield oma haar niet tegen.

Mevrouw van Lingen zat nog heel lang stil na te denken over Vincie.
Straks ging ze weer naar Engeland, dat had ze nodig. Mevrouw van
Lingen was er nooit bij geweest als Vincie in Eastbourne aankwam,
maar ze had wel gezien hoe Vincie - bij een zeldzame logeerpartij
van de oude mevrouw Graham - háár begroette en ze kon zich
daarom voorstellen, dat die Vincie een heel ander meisje was, uit
haar cocon kroop zodra ze daarginds was ... Vincie, het jolige kind,
dat vroeger zo ongecompliceerd leek, had het niet gemakkelijk met
zichzelf en de enige mensen die haar waarschijnlijk konden helpen
zichzelf te zijn waren Nicky en Roy. Mevrouw van Lingen hield
verschrikkelijk veel van haar enige zoon en schoondochter ofschoon
ze daar, nu al vijf jaar lang, niet veel plezier aan had beleefd, alleen

maar angst en zorgen, al toonde ze dat nooit.

Ze was tevreden met haar knusse huis, haar tuin vol rozen en haar boeken, maar zo onbekommerd leven als ze zich destijds had voorgesteld, kon ze toch niet... er was altijd iemand waarover ze zich zorgen maakte. Ze hoorde Vincie rumoeren in de badkamer, blijkbaar was ze alweer over haar sombere stemming heen, want ze zong het hoogste lied.

Tien minuten later stak Vincie een hoofd met drijfnat haar om de geopende deur.

„Ik ga nog niet naar bed, ik kom hier zitten tot m'n haar droog is. Ik vind, dat ik me erg ongezellig heb gedragen en dat is niet leuk voor u, dat komt ervan als je de pech hebt Liselot tegen te komen." Ze krulde zich genoeglijk tussen de vele kussens op oma's bank, zo'n grote ouderwetse bank waarop je wonen kon.

„We gaan allerlei gezellige dingen doen, hè oma?" Vincie grinnikte meer hartelijk dan charmant en oma gaf die een tikje kwajongensachtige grinnik prompt terug.

„Zoals?" vroeg oma een tikje spottend. „Wees jij nou maar jezelf en ga je niet uitputten om mij te plezieren. Ik vind het zonder meer fijn dat je er bent, of je nu mooi of lelijk kijkt."

„O, gelukkig," zei Vincie uit de grond van haar hart, ze rekte zich lui uit en viel met een diepe zucht van tevredenheid terug in de kussens. „Ik wil ook niet meer dan genoeglijk met jou bomen, jouw verrukkelijke koffie drinken, zo maar een beetje door het dorp rondlopen en met de mensen praten."

Het waren prettige rustige dagen voor Vincie, ze had alle ergernissen van zich af geschud.

„Ik kan er wel weer tegen," zei ze, toen ze op het punt stond om terug te gaan. „Maar ik ga toch eerst naar Eastbourne, ik kan niet anders, oma... Ik hoop, dat je daar nooit jaloers op bent. Het is... nou ja, het is gewoonweg heel iets anders en ik moet er niet aan denken, dat tante Hazel er eens niet meer zal zijn. Ze is zo broos, zo erg oud... en dan wil ik steeds maar daarheen om te zien dat ze het goed maakt. Ze zegt altijd wel, dat het zo is, maar ja..."

Vincie haalde de schouders op. Voor Vincie wegging liep ze nog even naar het graf van Kenneth en sneed een heel klein takje af - van de bloeiende struik, waarvan een paar takken als een boeket over de steen lagen gedrapeerd. Ze zette het takje in een klein vaasje met water, waarop een plastic dekseltje met een gaatje. Ze had er eens een orchidee in gekregen en nu was het prima vervoer voor dat kleine takje. Ze borg het geheel in het orchidee-doosje, waarin ze het flesje klemde. Ze had de orchidee trouwens een paar weken terug gekocht om de verpakking te bemachtigen.

„Prettige dagen in Engeland, mijn rusteloze Vincie," wenste oma toen ze Vincie tot aan het tuinhek vergezelde. „Doe tante Hazel m'n groeten en tot ziens."

Ze wuifde Vincie na en ging weer terug naar haar huis, haar boeken en haar rozen en miste Vincie meer dan ze wilde toegeven.

HOOFDSTUK 4

„Ik dacht," zei Moeder Carola met verheffing van stem, „Ik dacht, Vin, dat je nu wel had afgezien van je plan om weer naar Eastbourne te gaan. Papa heeft een paar heel goede kansen voor je, hij heeft nou eenmaal goede relaties ... en als jij nu eens niet moeilijk doet ..."

„Ik ga naar Eastbourne, dat staat vast! Verder doe ik niet moeilijk en zoek ik het zelf wel uit, ik zit niet te wachten op de relaties van pa ... schei er nou over uit, mama. Ik vraag ook geen geld, want je weet best dat ik erg zuinig leef en ik kan het best nog een paar maanden uitzingen. Ik ben namelijk niet met vakantie geweest maar dat ben je zeker vergeten." Vincie had intussen haar koffertje gepakt, sloot het en keek daarna naar haar moeder. „Mam, je mag daar best blijven staan maar je kunt er ook bij gaan zitten als je nog meer te vertellen hebt. Maar ik ben wel over een kwartier verdwenen ... Toe, waarom kijk je nou zo ... zo ongezellig. Er is toch niets vervelends."

Haar stem klonk smekend en met een zucht gaf Carola het op. Ze had Vincie nooit kunnen begrijpen en het stak haar dat andere mensen dat wel konden. Ze ging ook zo rustig haar eigen weg, zonder ooit werkelijk onaangenaam te worden maar wel onverbiddelijk.

„Nou ja, tot ziens dan maar weer." Ze sloeg haar armen om Vincie heen en kuste haar. Eddy huilde, hij vond het altijd erg naar als zijn zusje op reis ging.

„Ik kom gauw weer terug hoor," troostte ze het ventje.

„Wat is gauw ... vanmiddag?" vroeg Eddy en de tranen dropen langs zijn wangen. „Ik wil niet, dat je weggaat ... je moet bij me blijven." Carola zuchtte en vroeg zich af of Eddy ook zo'n misbaar maakte als zij een paar dagen wegging, zoals vorig jaar met de vakantie en Eddy in de zorg van zusje en oma achterbleef ... hij had zijn ouders hartelijk en vrolijk uitgewuifd.

Vincie reisde zo vaak tussen Nederland en Engeland op en neer, dat het voor haar dezelfde attractie had als een ritje met de stadsbus. Ze had mevrouw Graham laten weten dat ze kwam. Het was altijd goed en ook deze keer werd ze met intense hartelijkheid en warmte ontvangen door de oude mevrouw Graham.

„Kind, wat heerlijk dat je er weer bent. Als je weggaat begin ik alweer te tellen hoe lang het duurt voor je terugkomt ... kun je nagaan wat je bezoek betekent." Mevrouw Graham, heel tenger, klein en witharig sloeg met onengelse spontaniteit haar armen om Vincie heen, kuste haar op beide wangen en keek haar stralend gelukkig aan. „Kind, kind toch, en zo onverwachts ... ongelooflijk!"

„Met u alles goed?" Vincie streek over het krullende witte haar.

„Tante Hazel, u ziet er ongewoon stralend uit ... zo ... zo intens blij ... gelukkig."

„Ik ben ook blij, op een heel bizondere wijze blij en dat jij nu ook komt ... Ik kan m'n geluk niet op." Ze praatte een beetje in raadsels voor Vincie. Ze wist, dat mevrouw Graham doodsbang was dat ze eens niet meer in staat zou zijn haar eigen huishouding te blijven voeren en weg te moeten uit dit oude huis, zo boordevol dierbare herinneringen. Vincie wist als ze haar hier om de een of andere reden zouden weghalen, dan leefde de oude dame zeker niet lang meer. Ze had hier altijd gewoond vanaf haar huwelijk, Kenneth was er geboren, van hieruit had hij zijn ouders voorgoed verlaten en hier had Vincie Kenneths ouders destijds zulk belangrijk nieuws over hun betreurde zoon gebracht ... hier ook was haar man gestorven en ze wilde hier niet weg. Misschien had ze nu iemand gevonden die bij haar wilde komen wonen, iemand die ze om zich heen kon verdragen.

Vincie was dolgraag bij haar gebleven maar om verschillende redenen kon dat niet. Ten eerste was het economisch onmogelijk, ten tweede wilde Vincie het haar familie niet aan doen dat ze praktisch gesproken met hen brak. Mevrouw Graham was ook te verstandig het te accepteren dat een zo jong meisje alleen maar een stokoude vrouw als dagelijks gezelschap had. Vincie's bezoeken waren altijd gouden lichtpunten in haar leven, waarin verder eigenlijk alles gedaan was, afgemaakt... volledig. Maar ze veronderstelde in haar eenzame uren dat ze nog altijd een taak op aarde had... al was het maar alleen omdat Vincie haar op de een of andere wijze nog nodig had, maar een week geleden was er iets ongelooflijks gebeurd...

Haar gezicht kreeg weer die vreemde bijna vrolijke en zelfs jeugdige uitstraling, die Vincie niet begreep. Toen, als een volslagen verrassing, zei ze bijna triomfantelijk tegen Vincie: „Ik heb nog een logé, Vincie."

Vincie staarde haar verbluft aan. Ze wist dat tante Hazel nog nauwelijks contacten had, behalve één oude vriendin en een paar vriendelijke mensen in de buurt die op haar letten, hielpen en haar boodschappen deden.

„Maar waarom hebt u dat niet gezegd, tante Hazel?" vroeg Vincie zachtjes, uit het veld geslagen en met een plotseling opstekend gevoel van jalouzie... Zij was dus toch niet de enige waar tante Hazel zoveel van hield, er was iemand... en die iemand logeerde hier... Iemand die een wonderlijke zachte straling bij haar teweeg had gebracht, zodat de altijd aanwezige zachte glans van weemoed verdwenen was.

„Jou ooit afzeggen! Hoe kom je erbij, kind... je bent me zo ontzettend dierbaar, dat weet je heel goed. Kom mee, dan breng ik je naar je kamer... de rest hoor je straks wel." Ze dribbelde bedrijvig voor haar lieve gast uit.

Vincie wist hoe de kamer eruit zou zien en was toch telkens weer blij verrast: een ouderwetse kamer, met zachte lichte Engelse stof overtrokken stoelen en een grappig bankje, dezelfde gordijnen, zachtblauw behang met rozentoefjes en vazen vol bloemen... Ouderwetse toefjes bloemen, in zeker wel vier vazen. Die beeldige biedermeier boeketjes maakte ze zelf, echt artistiek priegelwerk, waar Vincie altijd bewondering voor had... ook nu pronkten de boeketjes er, met evenveel liefde en aandacht gemaakt als altijd.

Vincie wist dat er nog een logeerkamertje was, veel kleiner dan de hare. Wel heel aardig ingericht, maar die lag onder de hanebalken en had niet de sfeer die deze mooie, ouderwetse kamer had. Ja, er was nog één kamer, maar die werd nooit gebruikt omdat er geen noodzaak toe bestond. Het was Kenneths oude jongenskamer, zijn ouders hadden er nauwelijks iets aan veranderd, de kamer werd schoongehouden en ze deden er ook nooit overdreven sentimenteel over. Tante Hazel nam haar mee naar Kenneths kamer. Vincie was vaak met mevrouw Graham in die kamer geweest, ze had er de oude foto's uit zijn studietijd, de hockeysticks in de hoek en duizend-en-een kleinigheden die een kamer het eigen beeld van de bewoner geven, bekeken, het vloeiblad op de onderlegger op zijn buro lag er nog, bezaaid met inktmoppen. Vincie had het altijd een fijne kamer gevonden, net alsof de eigenaar van de kamer ieder ogenblik kon binnenkomen. Een levende kamer... ze wist niet hoe ze het anders moest omschrijven.

Toch was er nu iets wezenlijks veranderd. Het duurde even voor het tot Vincie doordrong dat de kamer bewoond werd. Er stonden een paar moderne herensportschoenen en er hing een eveneens modern suède jasje over een stoelleuning en een pijp, waaruit kennelijk pas nog gerookt was, lag in de kristallen asbak. Vincie schrok ervan, ze voelde een vreemde paniekstemming opkomen. Er viel een stukje van het zekerste gedeelte van haar leven weg... tante Hazel, die de kamer die tientallen jaren van Kenneth was geweest, aan een ander gaf... Er sprongen tranen in Vincie's ogen en ze draaide zich af om voor het venster naar het overbekende uitzicht te kijken.

„Vincie..." Tante Hazel legde haar hand op Vincie's schouder. „Het is niet zoals jij denkt... het is niet dat ik nu opeens onverschillig zo maar Kenneths kamer aan een vreemde geef. Het is... wel, maak eerst eens kennis met Michael Kingston. Hij is de kleinzoon van mijn zuster met wie ik sinds veertig jaar alleen maar sporadisch schriftelijk contact heb gehad. Ik kende Michael dus ook niet, wist nauwelijks dat hij bestond. Maar Michael is erg geïnteresseerd in de geschiedenis van zijn familie en kon nu zijn werk en de nieuwsgierigheid naar de zuster van zijn oma met elkaar verbinden... dat is voor ons allebei een prettige ontmoeting geworden. Michael woont in Australië."

Vincie knikte alleen maar, ze zou het niet in haar hoofd hebben gehaald tegen tante Hazel te snauwen of zelfs maar iets onaangenaams te zeggen maar ze was wel diep teleurgesteld en ook jaloers omdat er iemand anders was gekomen, een familielid nog wel, waar tante Hazel blij mee was.

Het was natuurlijk dwaas om jaloers te zijn, hield ze zichzelf voor, maar het deed pijn te weten dat ze beslist niet langer de eerste en enige was voor tante Hazel en ook, dat ze aan die onbekende zelfs Kenneths kamer had gegeven om te bewonen... en wie weet hoe lang die onbekende Michael zou blijven?

Vincie zou het liefst in tranen zijn uitgebarsten. Ze had zo weinig mensen die haar werkelijk begrepen, alleen oma, de verre Nicky - die fijne brieven schreef, weinig uiteraard maar heel lange brieven - en de vereerde tante Hazel... En nu was er een ander, familie van tante Hazel en het leek erop alsof ze hier altijd op had gewacht. Heel onredelijk had Vincie nog vóór ze Michael Kingston had gezien een hekel aan hem, ze wilde hem helemaal niet ontmoeten en zou het liefst meteen weer zijn afgereisd. Maar ze besefte heel goed, dat dit onmogelijk was.

„Ik heb nogal hoofdpijn... Ik denk dat ik maar even naar zee ga om uit te waaien," zei ze met voorgewende opgewektheid. Ze vroeg ook niet waar de andere logé uithing, dat interesseerde haar allerminst. Ze wilde hem eenvoudig voorlopig niet ontmoeten. Het was natuurlijk een kort uitstel maar wandelen langs zee gaf Vincie altijd weer moed en rust. Tante Hazel toonde zich ook niet teleurgesteld, wat Vincie haar eigenlijk ook nogal kwalijk nam.

„Zie je wel, ze heeft me niet nodig, voor haar had ik weg kunnen blijven," dacht Vincie, onredelijk als een mens nu eenmaal is bij verdriet en teleurstelling. „Laat tante Hazel dan maar alléén *tea-en* met haar achterneefje-of-wat-dan ook en ik zoek wel een smoes om morgenochtend af te reizen."

„Tot straks dan en wandel maar fijn, kindlief," zei tante Hazel hartelijk. Ze glimlachte wijs en had de hele situatie door, maar ze voegde er geen woord meer aan toe.

Vincie nam haar jas, hees zich daar buitenshuis in en draafde zonder om te kijken naar de boulevard... De zee, dat was het enige wat ze wilde zien. De tranen stroomden over haar gezicht maar ze voelde het niet eens, ze liep door met haar handen tot vuisten gebald in de zakken van haar jas.

Mevrouw Graham had Vincie nagekeken, daarna sloot ze de deur en liep naar het kleine studeervertrekje dat van haar man was geweest. De jongeman, die daar zat te lezen, keek op.

„Is de gast gearriveerd?" vroeg hij en hij klapte zijn boek dicht. „Hoe is het gegaan?"

Mevrouw Graham aarzelde even, dan zei ze heel zacht: „Ze is heel erg in me teleurgesteld... ze is ook jaloers en ik kan het begrijpen, Michael. Vanuit haar standpunt bezien klopt het ook niet. Ik geef aan iemand, die dan wel familie, maar die toch volgens Vincie een vreemde voor me is, Kenneths kamer... Ik heb haar niets verteld, haar opeens voor een voldongen feit gezet. Ze begrijpt het niet en hoe zou ze ook. Daarom leek het me iets teveel haar meteen met jou te confronteren. Ik hoop zo, dat als ze je gezien heeft..."

Ze zweeg hulpeloos en Michael was met één stap bij haar en legde zijn arm om haar schouder. „Ik zie tranen in uw ogen, trek het u niet aan, tante Hazel... Ik weet dat dit meisje Vincie u erg lief is en ik wil niet, dat er door mij verwijdering komt... Misschien gaat alles beter, normaler, meer vanzelfsprekend, als ik haar ontmoet buiten dit huis. Ik voel er veel voor ook langs de zee te gaan wandelen. Misschien zie ik haar... U kent haar allang, is het niet?"

Ze knikte ofschoon ze wist, en hij ook, dat hij naar de bekende weg vroeg. Hij had namelijk een paar dagen geleden, toen hij had gehoord dat Vincie zou komen logeren, aandachtig haar kinderfoto en daarna de nieuwste foto bestudeerd.

„Een leuke ondeugende kindersnoet, met die twee gekke staartjes, maar ik moet zeggen, dat ze ongelooflijk is veranderd," had hij gezegd. „Ze heeft zulke mooie sprekende ogen en leuk springerig haar ... is de kleur zo goudbruin als op deze kleurenfoto of is het geflatteerd?"

„Vincie heeft prachtig haar en ziet er schattig uit," had mevrouw Graham zeer beslist en een tikje verontwaardigd gezegd. Ze had evenwel aan Michael, hoe ze ook op hem gesteld was geraakt, niet precies verteld waarom de band met Vincie zo sterk was! Ze had hem verteld, dat Vincie destijds Kenneths bezittingen had gevonden maar wat er verder achter stak wist ook hij niet. Het was nu eenmaal een ongeschreven wet voor allen die er bij betrokken waren geweest om daarover te zwijgen, waarschijnlijk uit angst iets heel moois te beschadigen door sensatiezucht, ongeloof en spot.

Vincie was, vechtend met haar verdriet en teleurstelling, op een rustig plekje aan het strand gaan zitten, weggedoken in haar dikke jas want het was een koude voorjaarsdag die niet bepaald tot uitrusten aan zee noodde. Ze zat, met haar handen om haar opgetrokken knieën, weinig comfortabel op een hoopje kiezel maar dat liet haar allemaal koud, het hoorde bij haar stemming. Het was ook stil, in tegenstelling tot de vele dagen met mooi warm weer, wanneer het hier altijd zo gezellig druk was. Een zeemeeuw scheerde met een wilde schreeuw dicht over Vincie heen. Ze keek hem na... als ze aan Eastbourne dacht, hoorde ze ook altijd het geluid van zeemeeuwen, dat vreemde ijle roepen.

Michael Kingston liep langs de boulevard en zocht naar een meisje, een onbekend meisje met warm goudbruin haar. Hij speurde de boulevard af maar zonder sukses en nadat hij een stevig stuk gelopen had begon hij mistroostig aan de terugweg. De weinige mensen die op de boulevard liepen waren gemakkelijk te overzien en daar liep beslist geen meisje met goudbruin haar bij.

Michael stond stil en leunde op zijn gemak over de balustrade en toen zijn ogen naar beneden dwaalden zag hij op het verlaten strand wuivend goudbruin haar. Het meisje dat daar onbeweeglijk zat maakte een trieste indruk en leunde met haar voorhoofd op haar opgetrokken knieën. Zo te zien was het maar een zielig bundeltje mens, constateerde hij medelijdend.

Hij verliet zijn uitkijkpost en daalde, dicht achter haar, af naar het strand. Onhoorbaar tot er, toen hij dicht bij haar was, kiezel onder zijn voeten kraakte. Het meisje keek verschrikt op, ze staarde hem een ogenblik intens aan, toen zag hij een uitdrukking van angst en ongeloof in haar grote blauwe ogen komen. Haar lippen bewogen alsof ze iets wilde zeggen maar er kwam geen geluid, ze had niet veel kleur gehad maar nu werd ze spierwit.

Met één blik op Michael vielen de jaren weg en Vincie voelde zich, zoals ze zich had gevoeld toen ze voor het eerst Kenneth had gezien in de afgezonderde 'boskamer'. Maar nu was het hel licht, overdag... en achter haar ruiste de zee en daar... daar stond Kenneth.

„Niet weer... o alsjeblieft... Kenneth." Eindelijk kwam er geluid uit haar mond maar hij wist niet wat ze zei, alleen '¹⁄ natuurlijk.

„Schrik je zo van me?" vroeg hij dichterbij kor niet, ik ben de kleinzoon van tante H Kingston. De familiegelijkenis heeft je dar Vincie staarde nog steeds zwijgend naar Micha. gelooflijks. Kenneth... maar dan in moderne klerei. die normaal praatte, niet verdween zonder dat ze dit ae. kunnen begrijpen... deze Kenneth was beslist geen droombee. wat dan ook. Ze begreep nu ook waarom tante Hazel zo'n stralende indruk had gemaakt, waarom ze deze jongeman de kamer van haar zoon had gegeven... omdat hij als twee druppels water op haar zoon Kenneth leek.

„Ik weet dat ik op Kenneth lijk, dat zie ik zelf ook." Michael ging naast haar zitten en keek haar glimlachend en onderzoekend aan. „Als ik naar dat levensgrote schilderij kijk, zie ik mezelf, maar dan in uniform van een R.A.F. piloot uit negentien veertig... Een heel vreemde gewaarwording. Ik vraag me alleen af..."

Hij zweeg even want er kwam nog steeds geen reactie van het meisje, dat hem aankeek alsof ze haar ogen niet kon geloven en ook niet wist wat ze hiermee aan moest.

Michael had het vreemde gevoel dat het niet alleen maar ver-wondering was, maar dat er ook angst in school en afweer en dat begreep hij niet. Tenslotte kon dit heel jonge meisje Kenneth niet eens persoonlijk hebben gekend.

„Wat zei je... o... ik geloof, dat ik erg dom doe." Vincie streek het haar uit haar ogen, haar hand beefde. Kenneth... de vreemde vriend uit haar kinderjaren, waarnaar ze altijd een vaag en onbegrijpelijk heimwee had gevoeld, leek opnieuw tot leven te zijn gekomen.

„Is tante Hazel geschrokken toen ze je zag?" vroeg Vincie, er vleugde de schijn van een glimlach over haar gezicht. „Dat moet wel, maar ze is natuurlijk wel blij... je lijkt zo verwarrend veel op hem. Het moet ook wel heel moeilijk voor haar zijn... iemand die als twee druppels water op Kenneth lijkt maar een ander is... Maar ik begrijp het nu wel waarom ze blij is en waarom ze je die kamer gaf..."

„Ja, je vond dat allemaal onbegrijpelijk, onprettig. Ik weet het, omdat

Hazel er op voorbereid was, ze had me gevraagd of ik niet
tevoorschijn wilde komen als jij arriveerde ... zodoende." Hij
de vluchtig de schouders op, het was geen onvriendelijk gebaar,
wilde eerder benadrukken dat hij er weinig van begreep. Hij had,
diep in zijn hart, de voorzorg van tante Hazel nogal overdreven
gevonden, maar ach ... ze was zo erg oud, had hij goedig gedacht, het
was helemaal niet erg haar te helpen.

Nu bleek dan dat tante Hazel beslist niet had overdreven; het meisje
was om de een of andere reden die hij niet kon peilen, nog veel erger
geschrokken dan tante Hazel toen hij als het onbekende familielid
opdook, nu een week geleden. Achteraf bezien had zo'n oude dame
als tante Hazel er wel een hartaanval van kunnen krijgen. Maar hij
had ook niet geweten dat hij zo verbluffend op haar zoon leek, dus
was hij frank en vrij gearriveerd, nadat er een korte briefwisseling
tussen tante Hazel en haar zuster aan vooraf was gegaan. Gelukkig
bleek de oude tante Hazel nog steeds sterk. Ze had hem ongelovig
aangekeken, zolang dat hij zich ongelukkig en verlegen was gaan
voelen, toen had ze gezegd: „Ik hoef niet te vragen wie je bent ... je
lijkt zo ontstellend véél op hem ... op Kenneth."

Ze had hem bij de hand genomen en hem mee naar binnen getrokken en daar werd hij, net als Vincie vele jaren geleden, opeens ge-
confronteerd met de beeltenis van Kenneth, die hem aankeek met
dezelfde heldere, een tikje spottende blik, die Michael vaak zijn spie-
gelbeeld toezond.

„Hoe is dat nou mogelijk ... ik ben het niet, toch ben ik het," had
hij gemompeld. „Nee, dit is echt te gek! Ik kan me voorstellen, dat
u niet wist wat u zag ..."

Door deze bizondere gebeurtenis had het vanaf het eerste ogenblik
geklikt tussen Michael en de oude dame. Hij had het tamelijk
vreemd gevonden, dat tante Hazel zoveel voorzorgsmaatregelen had
genomen om Vincie niet te laten schrikken. Ze was heel erg op het
meisje gesteld en als ze totnutoe de enige was geweest in het leven
van tante Hazel waar deze nog werkelijk van hield, dan viel het niet
mee als er plotseling familie opdook. Dat kon hij allemaal best aanvaarden maar die zorg om Vincie niet te laten schrikken had hij
overdreven gevonden tot het ogenblik waarop hij Vincie's gezicht
had gezien toen ze hem ontdekte. Het was voor Michael een groot

70

raadsel waarom Vincie zo van die gelijkenis was geschrokken.

„Zullen we verder wandelen of blijf je hier zitten? Dan zoek ik ook een plaatsje op het kiezel," bood hij aan en toen Vincie zei, dat ze liever wilde wandelen en omhoog krabbelde, stak hij haar zijn hand toe en trok haar moeiteloos overeind. Ze was langer dan hij gedacht had, maar ze had daar ook zo ineengedoken gezeten.

Vincie liep zwijgend naast hem, met de handen in de zakken en ze wist met haar emoties totaal geen raad. Het was vreemd en beangstigend voor haar naast iemand te lopen die Kenneths gezicht had, het gezicht dat ze nooit had kunnen vergeten ... Ze zag meestal niet het bekende gezicht van het schilderij, maar het gezicht van de jongen in het bos, met dat trieste, verontschuldigende glimlachje dat voor Vincie betekende: Hier ben ik dan ... ik wil je niet bang maken, maar help me als je kunt ... jij alleen kunt me helpen.

Ze had ook niet kunnen vergeten hoe overweldigend voor haar, klein meisje dat er zelf nauwelijks iets van begreep, het ogenblik was geweest toen ze Kenneth op het grote schilderij had herkend, en de voelbare verbazing en ook ontsteltenis van de mensen om haar heen. Kenneth ... een gezicht dat altijd scherp in haar brein geëtst was gebleven ... En nu liep er iemand naast haar, vrolijk, met een prettige diepe stem, een jongeman van deze tijd ... met Kenneths gezicht, Kenneths ogen, Kenneths glimlach ... Het was niet te geloven en Vincie had een zo groot gevoel van onwerkelijkheid dat ze zo maar zwijgend naast hem liep, af en toe eens opzij keek maar geen zin had in een oppervlakkig gesprek over de zee of het mooie weer of wat dan ook.

Het was Michael, die het gesprek opende met de vraag die hem bezig hield vanaf het ogenblik, dat hij Vincie zo had zien schrikken bij zijn komst: „Je keek zo intens verschrikt, angstig toen je mij zag, dat ik me bijna schuldig voelde en toch ... je bent nog zo jong, je hebt Kenneth toch niet gekend ... dat is onmogelijk."

„Je lijkt zo op dat schilderij van Kenneth," zei Vincie haastig. „Ja, daar schrok ik van, maar dat kun je niet angstig noemen. Ik was zo diep in gedachten, weet je."

Ze zweeg even en vroeg dan aarzelend: „Heeft - heeft tante Hazel je verteld, hoe ik haar heb leren kennen?"

„Ja, jij hebt toevallig bij je spelletjes in het bos van het dorp waar je

woonde, het doosje opgegraven met de eigendommen van Kenneth
... zo is het toch?" Hij keek naar het profiel van het meisje, dat hem
ongewoon boeide en dat was niet omdat hij haar zo mooi vond. Hij
had wel mooiere meisjes ontmoet en Vincie was eigenlijk niet echt
mooi, daarvoor was haar gezicht te onregelmatig. Met haar goudbruine haren en helderblauwe ogen - geheimzinnige ogen, noemde
hij het en hij wist niet waaraan het lag - was ze een boeiende
persoonlijkheid.
Vincie was zelf niet tevreden met haar uiterlijk. Ze vond haar mond
te groot en haar neus te klein en bovendien had ze uit haar jeugd-
jaren een half dozijn sproeten overgehouden en die was ze ook liever
kwijt geweest. Ze had die dingen talloze malen bekeken en zich
afgevraagd waarom de andere sproeten wel waren weggetrokken
maar deze zes - vijf op haar neus en linkerwang, de zesde prijkte op
haar rechterwang - waren blijven zitten. Ze vond het een geluk, dat
haar huid er verder best aardig uit zag. Haar tanden waren mooi wit,
maar als het een rij parelen aan een draadje had moeten voorstellen,
was de voorste parel toch een tikje uit het lid geraakt en had de
neiging naar de linkerkant te buigen ...
De mensen vonden dat ze mooie tanden had en dat die kleine
onregelmatigheid charmant stond, maar Vincie vond het doodgewoon en ronduit lelijk en overdreef daarbij schromelijk.
Nee, Vincie was tot de conclusie gekomen, dat ze allesbehalve mooi
was, en daarbij liet ze het toen maar en kreeg er overigens geen
minderwaardigheidsgevoelens van. Haar bruingouden haren waren
het enige waarop ze trots was al vroeg ze zich nog steeds verwonderd
af, hoe dat peenkleurige haar uit haar kinderjaren zo'n metamorfose
had kunnen ondergaan. Maar het was in ieder geval meegenomen,
had ze opgeruimd geoordeeld.
Michael herhaalde zijn vraag, want het wonderlijke meisje aan zijn zij
liep blijkbaar zo te dromen, dat ze hem niet had gehoord.
„O, ja hoor ... ja, zo is het gegaan." Het klonk verschrikt en ze lachte
verontschuldigend. „Ik vond dat zo geweldig voor die oude mensen
... ja, want ze waren toen al echt oud ... niet alleen oud in de ogen
van een kind, maar écht oud en zo vreselijk lief. Ik heb het intens
ondergaan, dat ik het was die door toeval een grote wens, eigenlijk
nog hun enige wens, heb kunnen vervullen. Het maakte ook een

72

enorme indruk op me, dat ik toen van tante Hazel deze ring kreeg
... die zijzelf eens van Kenneth heeft gehad."

Ze stak een slanke hand uit en Michael nam die hand in de zijne om
de kleine fraaie ring te bekijken.

„Je bent er erg aan gehecht, hè?" constateerde hij.

„Ik zou geen raad weten als ik 'm ooit kwijtraakte," zei ze kortaf en
trok haar hand uit de zijne. „Wat ook belangrijk is voor tante Hazel:
Kenneth ligt al tientallen jaren in Nederland, in ons dorp, begraven.
Iedereen zorgt voor zijn graf. Ik weet niet hoelang ze dat volhouden,
ik bedoel als de kinderen opgegroeid zijn zegt het hun waarschijnlijk
niets meer ... Maar mij wel en ik zal het heel m'n leven blijven doen
en dat weet tante Hazel en dat wist oom Edward ..."

„Ja, ik begrijp het." Michael vond het vreemd dat ze nu opeens
zoveel praatte en blijkbaar haast had om hem alles te vertellen, zodat
hij toch maar niets anders zou denken. Het was hem overigens volkomen duister wat hij dan had moeten denken, want het verhaal
klopte precies met het verhaal van tante Hazel en toch ... en toch
had hij heel vaag het gevoel, dat er iets niet klopte.

„Doe niet zo onzinnig," hield hij zichzelf knorrig voor. „Hang niet
het grote denkhoofd uit, jongen. Waarom moet je iets zoeken achter
een simpel verhaal dat je door een oude vrouw en een heel jong
meisje is verteld ... het verhaal is zo zuiver als diamant."

Dat gevoel van onvrede kwam alleen omdat tante Hazel zo overdreven bezorgd was geweest dat Vincie zou schrikken maar achteraf
bezien vond hij het normaal, dat een oude vrouw zo dacht en dan
Vincie ... Nee, Vincie's schrik, dat had hij nog wel kunnen aanvaarden, maar er had angst in die diepe blauwe ogen gestaan. Waarvoor was ze in vredesnaam bang geweest? Hij gaf het op en hij was
volkomen bereid een gezellig gesprek te gaan voeren, zonder al de
muizenissen die door zijn hoofd hadden gespeeld, met het aardige
meisje dat naast hem liep.

„Onze kennismaking was wat ongewoon, maar spontaan," zei hij
opgewekt. „Ik had nooit kunnen vermoeden dat het familiebezoek
bij oma's zuster zulke prettige konsekwenties voor mij zou hebben.
Ik heb er niets tegen dat ik jou hier heb ontmoet."

Vincie haalde alleen vragend haar wenkbrauwen op. Was er hier weer
zo een die meteen hard van stapel begon te lopen? Hij kende haar

nauwelijks een half uur of hij begon al te vertellen, dat het een bof voor hem was dat tante Hazel ook nog een jonge logée had. Nu, voor haar hoefde het niet zo, al vond ze de man met het gezicht van Kenneth sympathiek.

Ja, waarom vond ze hem sympathiek? Omdat hij het gezicht van Kenneth had...? Ze zuchtte om de vicieuze cirkel waarin haar verwarde gedachten bleven ronddraaien.

„Ik bedoel er niets meer of minder mee, dan ik zeg... ik vind het gezellig dat je er bent, al verveel ik me niet bij tante Hazel." Hij haalde geïrriteerd om haar reactie de schouders op. „Ik wil bijvoorbeeld graag iets van de omgeving zien maar ik kan moeilijk aan tante Hazel vragen of ze mee wil rijden. Ja, voor een kort ritje, maar niet voor lange autoritten. Ik kan dat wel aan jou vragen... als je tenminste wilt."

„Dat lijkt me gezellig," stemde Vincie toe en bloosde ouderwets. „Wees niet direkt geïrriteerd, ik reageer af en toe nogal eh... nogal onaardig, maar ik eh, ik kan nooit meteen zo vlot met iemand opschieten. Ik kan eenvoudigweg niet na een half uur doen alsof ik je al een half jaar ken... zo ben ik nou eenmaal. Daar ben ik niet blij mee maar ja... sloom, hè?"

Michael, die ernstig had geluisterd, schoot in de lach toen ze de laatste woorden er zo deemoedig aan toe voegde.

„Nee, waarom? Je moet jezelf blijven, anders krijg ik zo'n vertekend beeld van het meisje met het gouden haar... mag ik alsjeblieft zeggen dat ik je haar mooi vind?" Hij grinnikte kwajongensachtig tegen Vincie. „Al kijk je lelijk, ik neem het niet terug."

„Ik kijk niét lelijk," zei Vincie haastig. „Ik kan alleen niet erg elegant komplimentjes aannemen, maar ik ben het met je eens dat mijn haren m'n enige schoonheid zijn... en vroeger had ik péénhaar?" Deze keer bleef Michael stil staan, gooide zijn hoofd achterover en schaterde zo aanstekelijk dat Vincie tegen wil en dank meelachte.

„Wat heb ik nou voor geks gezegd?" wilde ze weten. „Het is waar." Michael probeerde ernstig te knikken, maar hij kon het niet opbrengen.

„Wat ben je eerlijk... fnuikend eerlijk." Hij legde kameraadschappelijk zijn arm om haar schouders. „Je weet best dat je er schattig uitziet en waarom, in vredesnaam moet je je licht zo onder de koren-

74

maat stellen als ik je een simpel kompliment maak ... de waarheid zeg?"

„Ik vind helemaal niet dat ik er schattig uitzie." Ze duwde hem tamelijk vinnig weg. „Als je dat werkelijk meent, mankeert er iets aan je onderscheidingsvermogen."

„Juist ja, dat zal dan wel!" verzuchtte Michael Kingston. „Ik geloof dat ik vandaag het wonderlijkste meisje heb ontmoet ... en ik heb er nogal wat leren kennen, thuis en op reis ..."

„Dat zal wel ... ja," gaf Vincie laconiek toe met een speciaal klankje in haar stem.

„Zeg juffrouw wijsneus," Michael bleef stilstaan en keek haar niet bepaald vriendelijk aan. „Zeg dat niet op een toon alsof je ervan overtuigd bent dat jij vandaag 's werelds grootste Don Juan hebt ontmoet ... daar weet je niets van."

„Lichtgeraakt ben je overigens wel ... en je kunt doen wat je wilt, maar ik ga naar huis. Tante Hazel zal niet weten waar we blijven." Ze begon terug te lopen zonder zich nog om Michael te bekommeren. „Dat moet jij nodig zeggen," zei een boze stem naast haar. „Lichtgeraakt ben jij ook en laten we alsjeblieft normaal doen, het lijkt me niet zo prettig voor tante Hazel als haar logé's ruzieënd thuiskomen. Wat denk je ervan?"

„Je hebt gelijk ... goede vrienden dan maar." Ze liepen naast elkaar verder en mevrouw Graham zag hen samen aankomen en zuchtte van opluchting. Michael had Vincie gevonden, ze lachten en praatten samen, dat was een grote zorg minder. Het huis was opeens warm en levend en vol vrolijkheid toen twee jonge mensen fris en verwaaid door de nog gure wind de hal binnenkwamen.

Dat was, dacht Hazel Graham, zoals héél vroeger ... ach, een mensenleeftijd geleden. Toen Kenneth en Betty thuiskwamen na een strandwandeling, jong en gelukkig met een toekomst samen in het vooruitzicht ... maar die liefde was door de oorlog gebroken. Ja, een mensenleeftijd geleden ... maar om nooit te vergeten.

„Kom gauw binnen, ik wacht met de thee," zei Hazel Graham. Michael ging de kamer binnen, Vincie haalde voor de ovale halspiegel een kam door haar verwarde haren.

„Alles goed, Vincie?" vroeg tante Hazel zachtjes. „Begrijp je het? Je moest zélf die gelijkenis zien. Ik kon je niet zeggen hoe het was.

75

Vreemd, maar zelfs de manier waarop hij lacht en zich beweegt, zijn hoofd omdraait..."

Ze schudde haar tengere schouders en voegde er met een klein, grappig glimlachje aan toe: „Edward zei altijd: die jongen lijkt op jou, gelukkig maar. Ik bestreed dat, maar het schijnt wáár te zijn. Hoe kunnen anders twee zusters, met totaal verschillende echtgenoten, dit anders voor elkaar krijgen? De kleinzoon van m'n zuster, die als twee druppels water lijkt op mijn zoon. Het leven schijnt toch wel eens in herhalingen te vervallen. Jammer dat ik nooit iets wist van het leven van mijn zuster, nooit iets wist van het leven van haar kinderen... maar deze kleinzoon van haar overbrugt dat gemis. O, en kind, hoe blij ik met hem ben... er is maar één kostbare Vincie, dat moet je onthouden."

„Het is goed zo, tante Hazel... het was dom van me zo jaloers te doen. Ik ben zo blij voor u." Vincie sloeg haar armen om het broze dametje heen en kuste haar op haar mooie witte haren. „Ga maar gauw mee naar binnen vóór Michael zich gaat afvragen, wat die vrouwen te fluisteren hebben."

Michael stond met zijn handen op zijn rug voor het schilderij van zijn dubbelganger, hij schrok op toen tante Hazel en Vincie binnenkwamen. Hij had de gelijkenis, die hem toch allang duidelijk was, met Vincie's verschrikte ogen bekeken, die ogen op het ogenblik van de ontmoeting wilden maar niet uit zijn gedachten.

Hij keek naar Vincie en zij glimlachte vluchtig terug maar negeerde het schilderij.

„Ik heb het nog eens met jouw ogen bekeken," begon Michael en hij wist eigenlijk niet waarom hij er nu toch weer over begon.

„Dat hoeft niet." Ze wierp hem een korte, boze blik toe. „Dat weet ik ook zo wel."

Tante Hazel nam het gesprek taktvol over en al gauw waren ze druk aan het praten over de stamboom waar Michael werk van maakte. „Het is er eigenlijk nog niet van gekomen tante Hazel, maar heeft u jeugdfoto's?" vroeg Michael. „Heb jij die wel eens gezien, Vin?"

„Hé, wat vreemd... dat is er eigenlijk nooit van gekomen. Vincie keek verrast op. „We hadden het altijd zo druk met praten en wandelen en... nou ja, het is er niet van gekomen. Ik heb er een paar keer naar gevraagd, maar het album moest uit een kist op zolder komen en zo bleef het weer op de achtergrond hangen... echt jammer."

Het was voor Michael geen bezwaar naar zolder te gaan en het album te zoeken. Vincie wilde wel mee, ze vond een zolder zo verrassend en geheimzinnig, er werden altijd dingen gevonden waarvan je niet meer wist dat je ze had of dingen van vroeger waar je echt niets van wist.

„Maar hier zullen we natuurlijk niet rommelen," beloofde ze braaf. „Ach, als je het leuk vindt en geen rommel maakt..." Tante Hazel kon de twee moeilijk iets weigeren. „Ik ga liever niet mee naar de zolder, het is me te koud en te veel trappen klimmen."

Vincie en Michael trokken na de thee naar boven. De zolder was groot en kil maar Vincie keek met glanzende, verwachtingsvolle ogen rond. Ze vond het heerlijk dat ze mochten 'rommelen' in al die oude zaken. „O, kijk toch eens... tante Hazel heeft kapitalen op zolder staan maar het interesseert haar niet of ze weet het niet meer." Vincie had een beeldschoon haardstoeltje tevoorschijn gehaald. Het moest minstens honderd jaar oud zijn en verkeerde in prima staat. „Zo stevig maken ze in onze huidige weggooimaatschappij de dingen niet meer," zei Michael. „Het is een mooi ding, net geschikt voor jouw gewicht. Ik zou er misschien vlot doorheenzakken."

Hij dook in een kast en kwam triomfantelijk met een stapel boeken tevoorschijn. Oude vakliteratuur van oom Edward, die natuurkundige was geweest, prachtige oude atlassen en kunstboeken en een paar eerste edities van een zeldzaam fotoboek uit de begintijd van de fotografie, compleet met handtekening van de schrijver. Ze bogen zich samen enthousiast over de gevonden schatten.

„En wat is dit..." Vincie trok een witte doos tevoorschijn. Er lagen vier stapeltjes brieven met lint bijeengebonden.

„Dat zullen wel liefdesbrieven zijn." Vincie legde de stapeltjes apart. „Ik zal aan tante Hazel vragen of zij ze echt wil blijven bewaren of dat zij ze wil vernietigen. Het lijkt me afschuwelijk als iemand hier later in gaat snuffelen, ik wil er in ieder geval geen woord van zien. Maar dit... oh, kijk toch eens, Michael!"

Een vergeelde advertentie, een geboortekaartje met een grappige tekening erop en een kanten zakje met verkleurde 'muisjes' die eens roze en blauw waren geweest, met een blauwe strik eromheen.

„Kenneth James Patrick Graham," las Vincie. „Altijd bewaard gebleven maar héél ver weggestopt, ik denk ... toén ... in de eerste
jaren na Kenneths verdwijning."
Michael keek zwijgend en met een ongekend gevoel in zijn hart naar
dit meisje, dat hij pas zo kort kende. Een wonderlijk meisje, dat de
dingen heel fijn aanvoelde en helemaal geen hoge dunk van zichzelf
had ... opnieuw viel het hem op dat die grote vreemd heldere ogen
zo'n intense, naar binnen gekeerde blik hadden. Mystiek ... dat was
het woord waarnaar hij gezocht had en dat hem nu opeens te binnen
schoot.
„Hier geldt hetzelfde voor, wat gebeurt er later mee ... ik zal het
vragen." Ook dit stapeltje legde ze weer in de witte doos. „Ik vind
het niet prettig zulke dingen te bekijken ... ze zijn niet van mij, het
lijkt zo indiscreet."
Ze lachte verdrietig toen ze zijn gezicht zag. Hij keek vragend en ze
begreep dat verkeerd.
„Je snapt er niets van ... niemand begrijpt mij ooit, dat is m'n
noodlot," zei ze luchtig maar toch met een ondertoon van waarheid.
„Wat zou er in deze grote koffer zitten? Ik ben benieuwd." Michael
tikte het schuifslot, dat vastgeroest zat, voor haar open. Tussen veel
lagen blauw papier en zijdepapier lag een bruidsjapon en zag eruit
alsof ze pas enkele jaren terug was opgeborgen.
„Schitterende stof die de tand des tijds kan weerstaan," merkte Michael praktisch op. „Heel ouderwets maar het ziet er prachtig uit."
„Jij weet er niets van, heel ouderwets is tegenwoordig hypermodern
en dit hier is gewoon beeldschoon en onbetaalbaar omdat niemand
tegenwoordig meer zo werkt. Nou ja, misschien iemand in de Haute
Couture die voor een of andere rijkaard werkt en dan kans ziet met
een stoet personeel een japon zo vol pareltjesmotieven te rijgen ...
Ik vind de japon prachtig, koninklijk ... en de stof valt heus niet
uitelkaar als je eraan komt."
„Ik vraag me af hoe zoiets jou zou staan. Pas 'm eens aan." Michael
ging er op z'n gemak bij zitten met een stapel boeken. „Als je bang
bent, dat tante Hazel het niet goed vindt, ga ik het vragen. Toe, doe
het nou."
Voor ze hem kon tegenhouden had hij de boeken op de grond
gelegd en dook hij het trapgat in.

„Doe niet zo gek!" riep ze hem geërgerd na maar dat hielp niet meer. Tante Hazel zat rustig te lezen. Ze keek op en vroeg verbaasd of het boven zo interessant was en waar Vincie bleef.

„Nou, het is inderdaad interessant. Heerlijke oude meubels, oude boeken en dingen die Vin apart heeft gelegd, omdat ze wil dat u weet dat ze er liggen. Nou ja, dingen waar ze het zelf wel met u over zal hebben. Maar intussen heeft ze een trouwjapon gevonden in prima staat, ze stond er verheerlijkt mee in haar handen en ik vroeg of ze hem eens wilde aan trekken maar ze denkt dat het niet van u mag."

„Waarom zou ze dat niet mogen?" vroeg de oude dame. Ze klapte haar boek dicht. „Het is mijn trouwjapon en als je het niet erg vindt, dan kom ik toch maar even boven een kijkje nemen. Jullie amuseren je daar blijkbaar zo en als er soms dingen zijn die jullie leuk vinden dan mag je ze meenemen, hoor."

Michael stond er op dat tante Hazel haar bontjas aandeed, omdat het zo koud was op zolder. Langzaam beklommen ze de trap. Michael liep zorgzaam achter haar omdat de trap ook nogal steil was en hij kon zich daarom goed voorstellen, dat de oude dame nooit meer op zolder kwam.

„Tante Hazel," Vincie stond nog steeds de jurk te bewonderen, „het is echt niet m'n bedoeling..."

„Ja, maar de mijne wel," zei tante Hazel laconiek. „Kom mee, kind ... laat Michael maar even aan z'n boeken over ... ik help je wel, want alleen kom je er vast niet mee klaar. In mijn jeugd ging zo'n jurk dicht met rissen fijne knoopjes. In het kamertje is een grote ouderwetse spiegel, dan kun je jezelf meteen zien."

De prachtige jurk paste alsof hij voor Vincie was gemaakt. Na tien minuten geduldig stilstaan, omdat tante Hazels vingers niet zo best meer wilden met al die friemelig kleine knoopjes, kon Vincie het resultaat bekijken.

„Het staat prachtig. Helemaal niet ouderwets, ja, alleen die hoge kopmouwen, maar de hals is modern: rond en glad. Hoe kan dat?" Vincie had nauwelijks oog voor het aantrekkelijke beeld dat ze bood. Tante Hazel hief een in elkaar gedraaid stukje tule op dat aan diverse kleine baleintjes was bevestigd: „Kijk, dat komt hierdoor. Het enige dat niet mooi is gebleven ... Dit hoorde als een zedig boordje, dat ongeveer tot aan de kin zat in de halsopening, gedragen te worden.

Maar dat zal ik je maar niet aandoen, kind."

„Hè ja, ik wil het juist wel aan. Dan steek ik ook mijn haar omhoog, want dit past er zo niet bij."

Het tule voegde zich weer glad om Vincie's slanke hals en ze stak haar haren met een van tante Hazel geleend speldje bij elkaar.

„Mooi hoor," zei ze vertederd, „maar wat een vreselijk gevoel, dat ding om m'n hals."

„Ach, wij wisten niet beter." Tante Hazel haalde haar schouders op. „Je bent net een plaatje, Vincie. Laat je eens aan Michael zien."

Ze liep vooruit en Vincie moest wel volgen. Michael stond aan de overzijde van de zolder in een halfdonkere hoek.

„Waar ben je," vroeg zijn tante, die hem ook niet direkt zag. Vincie keek zoekend rond. De zolder was ook zo groot... Toen deed ze verschrikt een stap terug...

Michael stond heel stil in een hoek waar ze hem niet verwachtte te zien. Vincie schrok nu heftig. In het halfdonker was er een griezelige overeenkomst tussen Kenneth en Michael. Het gaf haar weer een ogenblik die vreemde, onverklaarbare sensatie van de middagen van vroeger in het bos.

„Schrik maar niet," zei Michael en deed een stapje vooruit. „Ik had net een boek uit deze kast gehaald en er is hier weinig licht. Wat ben jij toch schrikachtig..." Hij stond nu vlak voor haar, met het boek in zijn hand. Hij was weer gewoon Michael.

„Hoe vind je haar?" vroeg mevrouw Graham trots.

„Heel mooi hoor," zei Michael vlak. „Zo moet u er ongeveer in uw jeugd hebben uitgezien. Het is net alsof de japon voor haar is gemaakt. Ze past prachtig."

Vincie voelde zich opeens diep teleurgesteld. Hij vond haar in deze schitterende uitrusting plichtmatig 'heel mooi hoor', zonder een grein enthousiasme. En dat had ze, en welk meisje had dat niet van een aardige jongeman, toch wel verwacht. Vincie had zich stralend en bizonder gevoeld in de trouwjapon van rond de eeuwwisseling maar op deze stoïcyn maakte dit beslist geen indruk, hij had blijkbaar alleen maar belangstelling voor een oud natuurkundeboek.

Vincie draaide hem de rug toe en pakte de doos op die ze voor tante Hazel apart had gezet. „Kijkt u deze zelf even na en zeg dan, wat er mee moet gebeuren." Ze knielde bij Hazels stoel neer.

„Ja," zei Hazel Graham zachtjes. „Ja... neem die voor mij mee naar beneden, die moeten verbrand worden... en dit..." Ze pakte het geboortekaartje en het bundeltje kant met de verbleekte 'muisjes' op. Haar gezicht werd een ogenblik heel verdrietig. „En dit..."

„Nee, dit niet... alstublieft!" Vincie legde haar hand op die van Hazel. „Ik begrijp best dat u die brieven wilt verbranden, daar heeft niemand mee te maken, maar ik zou het zo erg vinden als u dit hier verbrandde... mag ík het hebben?"

Hazel Graham keek in de bizonder grote heldere ogen met hun onpeilbare diepten. Wonderlijke ogen had dit kind... onbegrijpelijk toch, die band tussen het meisje en de man die lang voor haar geboorte was gestorven, een band die ook Vincie en haar had gebonden vanaf het ogenblik dat het kind destijds het huis binnen was gekomen en bij het zien van het schilderij verwonderd had geroepen: „Maar dat is Kenneth."

„Natuurlijk mag je dit hebben... wat doe je ermee?" Tante Hazel glimlachte om de gretige wijze waarop ze het pakje aannam.

„Bewaren," zei Vincie onmiddellijk. „En er ooit, als ik een eigen huis zal hebben, een plaats voor zoeken. Ik zal het in ieder geval nooit zo maar in een la leggen of op zolder wegstoppen, al kan ik me indenken, dat u het hebt gedaan – op zolder leggen omdat de herinnering teveel pijn deed, destijds. Weet u wat ik in een huis zo waardevol vind? Die heel kleine dingen, waar een geschiedenis achter zit. Een kennis van mijn vader heeft een klein houten plankje op een peperdure kast staan, met de naam van zijn schoonvader erop geschilderd. Die vader werd in de oorlog weggevoerd en hij had gezegd tegen zijn kinderen: Als je dit plaatje thuisgestuurd krijgt, dan ben ik niet meer in leven... Gelukkig heeft hij het stukje hout zelf weer mee teruggebracht en zijn dochter heeft het van hem gekregen, daarom staat het nu tussen dure spullen op een peperduur kastje en het is haar liever dan de hele kostbare toestand, ziet u."

„Ik geloof, dat we nu maar naar beneden moesten gaan, het wordt te koud voor tante Hazel...," sprak een zeer nuchtere stem op de achtergrond. Vincie keerde zich naar hem toe, met vlammende ogen. Als ze totaal niet begrepen werd, zoals Gert haar niet had begrepen, stelde haar dat teleur – maar omdat deze man op Kenneth leek, een onuitwisbaar hoofdstuk in haar leven, de Kenneth die ze misschien

81

wel had geïdealiseerd, kon ze het niet goed verdragen dat ook hij weer zo'n mens was die niets begreep... Die onmiddellijk een bizondere stemming verstoorde, omdat hij zich door volslagen onbegrip genegeerd voelde als er iets gezegd of gedaan werd, dat hem te gevoelig voorkwam.

„Ik was in gesprek met tante Hazel," beet ze Michael toe. „Ik weet dat het te koud is, maar die paar minuten maken ook niets uit... bemoei jij je er niet mee als ik het tegen haar en háár alleen heb."

„Je bent nog steeds jaloers," constateerde hij met een glimlachje, dat ze graag van zijn gezicht had geveegd en dan liefst hardhandig.

„O neen, ik erger me eraan dat je zo onbeleefd bent," beet ze terug. „Maar wat doen we eigenlijk in haar tegenwoordigheid met dat domme gekibbel."

Ze keerde zich schouderophalend af naar tante Hazel, die merkwaardig rustig naar het korte woordenduel had geluisterd. Vincie's gezichtje veranderde als bij toverslag.

„Flauw van me, hè?" Ze knielde op de grond neer. „Wilt u alstublieft de knoopjes weer losmaken? Doe het maar rustig aan en als u het te koud krijgt, ga ik wel even mee naar beneden in vol ornaat."

„Nee kind, het lukt wel," zei tante Hazel en ze begon met goede moed aan de knoopjes, waarbij ze laconiek opmerkte: „De huidige ritssluitingen zijn toch wel gemakkelijker, al zijn ze misschien af en toe minder betrouwbaar. Hoe verzonnen we dat destijds, veertig knoopjes op de rug. Ik denk dat men toen van het standpunt is uitgegaan dat je bij een bruidsjurk toch altijd hulp hebt als je 'm aantrekt... Het gaat echt niet snel, Vincie."

„Laat mij dan even helpen," bood Michael aan en toen Vincie hem een nijdige blik toezond, voegde hij er kregel aan toe: „Kind, doe niet zo preuts, ik heb vijf zussen, hoor, en al heb je nou een jurk aan uit negentienhonderd, we leven wel tachtig jaar later. Doe dus niet zo stom, tante Hazel heeft verstijfde vingers van de kou. Of blijf in dat gewaad rondlopen, dan kun je er nog in slapen ook."

„Erg subtiel ben je bepaald niet," zei Vincie hooghartig, maar liet toe, dat hij vijfendertig weerbarstige knoopjes handig loswipte zonder dat hij ook maar een ogenblik de schijn wekte, dat hij de ongewone situatie wilde uitbuiten. Dat waardeerde ze wel, waarna ze met haar sleep over de arm verdween om even later terug te keren in haar eigen simpele rok en truitje. Michael schoot in de lach.

„Het verschil is komisch," zei hij en hij voegde er langs zijn neus weg aan toe: „Een feit is, dat je er beeldschoon uitzag..."

„O, dat heb je tóch gezien?" informeerde ze ironisch.

„Ja hoor, maar ik wilde je niet verlegen maken," antwoordde het jongmens Michael luchthartig en hij grijnsde, waarna hij zorgzaam tante Hazel van de hoge trap hielp. Vincie daalde naar beneden met de doos brieven, het kaartje en het kanten buideltje dat ze nog eens wilde bekijken voor ze het opborg. Michael bracht de boeken naar zijn kamer en toen hij terugkwam was tante Hazel bezig de brieven te sorteren, wat Vincie een tamelijk zinloze bezigheid vond: als tante Hazel ze toch niet wilde herlezen hoefde ze die brieven niet gesorteerd in het vuur te gooien. Ze moest er dan ook zelf om glimlachen.

„Ach wat doe ik onnozel... maar het valt ook niet mee om...," mompelde ze en dan harder: „gebeuren moet het toch... een, twee, drie in Godsnaam..."

Met een besliste zwaai gooide ze de hele bundel in het fel oplaaiende vuur, ze keek ernaar tot het papier verschrompeld was tot een hoopje grijze as. Vincie en Michael hadden geen woord gesproken, geen beweging gemaakt... ze voelden allebei, dat het nogal iets betekende volkomen afstand te nemen van het verleden en alles wat geweest was aan warmte en liefde... een hoopje as. Toen stond Vincie op, sloeg haar arm om de tengere schouders en kuste haar.

„Ik ben blij, dat jullie boven dingen hebt gevonden waaraan je waarde hecht," zei mevrouw Graham. „En ik ben ook gerustgesteld over die brieven. Ik dacht er wel eens aan maar het kwam er nooit van ernaar te kijken en ik zou het erg naar hebben gevonden als ze in verkeerde handen waren gekomen... voor mij waren ze dierbaar. Ik heb destijds teveel op zolder geborgen. Ik ben voorwerpen kwijtgeraakt waarvan ik me altijd ben blijven afvragen... zijn ze nog in dit huis of zijn ze op onnaspeurlijke wijze zoekgeraakt."

Vincie zat met het geboortekaartje en het kanten buideltje in haar handen en zat het aandachtig te bekijken. Nu keek ze op en ze glimlachte tegen de oude vrouw. „U bedoelt de klingelende belletjes, hè?"

Een ogenblik keek Hazel haar niet begrijpend aan, maar het samenspel, het begrip tussen de oude vrouw en het jonge meisje was zo groot, zo gegroeid in al die kostbare jaren, dat Hazel Graham onmiddellijk de draad opnam: „Ja ... de belletjes, maar ze zijn er allang niet meer, ze moeten weggeraakt zijn toen we destijds al die spullen op zolder hebben gezet."

Michael begreep er niets van, maar hij had niet voor niets een rij zussen, die vaak in raadselen spraken, dus verdiepte hij zich in een van de gevonden boeken. Vincie mompelde iets van 'even naar m'n kamer'. Hazel doezelde wat bij het vuur en pas na een half uur kwam Michael tot de ontdekking dat Vincie niet teruggekomen was. Zou ze naar bed zijn gegaan, vroeg hij zich af, tot hij gestommel boven zijn hoofd hoorde. Dat malle kind zat waarachtig weer op zolder, dacht hij ongeduldig, want op de een of andere onverklaarbare manier irriteerde Vincie hem soms. Hij stond voorzichtig op om tante Hazel niet te storen maar ze sliep vredig verder.

Vincie hoorde hem de trap opkomen, dus schrok ze deze keer niet. „Wat voer je nou in vredesnaam weer uit?" informeerde hij vermoeid. „Zoeken naar iets dat tante Hazel kwijt was ... ik heb het gevonden, notabene in de zak van een jurk uit tante Hazels jonge jaren."

Ze hief een fijn zilveren rammelaartje op, een staafje waaraan vijf zilveren belletjes rinkelden. „'t Is van Kenneth geweest."

„Het is een mooi dingetje, maar hoe kom je erbij op zo'n vreemde plaats te zoeken naar een ding, dat tientallen jaren zoek is?" vroeg Michael verwonderd. „Jij kunt zoeken, zeg. Als ik ooit iets kwijt raak, kom ik jouw hulp inroepen ... waarom zocht je juist daar?"

„Dat weet ik niet," zei Vincie kortaf. „Het heeft geen doel te zoeken op de gewone plaatsen, hè?"

Ze kon hem moeilijk vertellen dat ze niet eerder geweten had dat die rinkelende belletjes bestonden, dat ze dit pas had gevoeld toen ze het kanten buideltje en het kaartje had zitten bekijken. Ze wist toen ook waar ze zoeken moest – ze haatte het dat ze zo was, maar ze kon er niets tegen doen.

Michael keek haar peinzend aan, haalde de schouders op en zei kortaf: „Ik zou dan nu toch maar naar beneden gaan. Het is hier langzamerhand een ijskast geworden."

Halverwege de trap stond hij stil en draaide zich naar Vincie om. Zijn glimlach was vriendelijk en kameraadschappelijk, het was weer de bekende glimlach die Vincie zich herinnerde.

84

„Tante Hazels trouwjapon stond je allerliefst. Ik weet, dat ik nogal
nonchalant reageerde op je verschijning en dat laat je misschien wel
koud, maar ik moest het even zeggen ... ik vond je zo mooi, dat ik
niet eens meer wist hoe ik moest reageren, en deed gewoonweg
lomp. Ik ben niet zo'n gemakkelijke komplimentjesmaker ... maar je
overrompelde me. Dat doe je trouwens voortdurend en vaak weet ik
niet waarom. Ik ken je nog maar kort maar je bent om in boekenter-
men te blijven 'een hoofdstuk apart', dat je meermalen wilt over-
lezen."
Vincie lachte. Voor het eerst hartelijk en zonder reserve, warm, blij
en gelukkig omdat het er opeens op ging lijken dat Michael toch
anders was dan ze gevreesd had dat hij zou zijn; oppervlakkig, een
beetje lomp, spottend en onaangenaam. Ze wist hoe Kenneth was
geweest, die ze nooit werkelijk had gekend en toch zo goed kende,
omdat ze een onuitsprekelijke band met hem had die versterkt was
in de loop der jaren door alles wat tante Hazel haar had verteld. Ze
had het zo gewaardeerd dat de oude dame nooit zover gegaan was,
dat ze van de Kenneth uit die lang verleden tijd een halve heilige
had gemaakt, verre van dat.
Het meisje had Kenneth leren kennen als een goed, gevoelig mens,
die veel risico's had durven nemen en daardoor dan ook de dood had
gevonden, maar ook een man die gauw driftig werd maar nooit
koppig bleef, die moedig was maar verschrikkelijk eigenwijs en dat
later slechts moeizaam durfde bekennen. Een man ook die zijn ge-
voeligheid vaak verborg onder sarcastische uitspraken en daar later
spijt van had ... Bekennen dat hij eigenwijs was geweest en iets
helemaal verkeerd had gezien was nog iets anders dan schuld bekennen, maar Kenneth had zo zijn eigen manier gehad om iets wat door
zijn schuld scheef was gedraaid weer goed te maken. Veel geduld had
hij ook niet bezeten. Hij was geen gemakkelijk mens geweest, deze
Kenneth Graham, maar wel een goed mens, ook heel vrolijk als hij
thuis was.
Op zijn kamer lagen nog een paar oude grammofoonplaten, van die
breekbare wasplaten. „Het zijn er niet veel," had mevrouw Graham
gezegd met pretlichtjes in haar ogen. „Omdat Kenneth op een keer
de hele stapel in zijn stoel had gelegd en er toen met een plof op
is gaan zitten ... hij had het gewoon vergeten, maar wat hij toen

uitgegalmd heeft stond in geen enkel woordenboek, hij vergat wel even dat hij thuis was en niet in een soldatenkantine of zoiets ... wat was hij kwaad om zijn eigen stommiteit. Hij gaf mij de schuld omdat ik ze niet had opgeruimd en dat, terwijl niemand aan de spullen in zijn kamer mocht komen en hij alleen in zijn zogenaamde 'georganiseerde rotzooi' de weg kon vinden ... Zijn vader, die nooit schreeuwde, werd toen zo kwaad op hem, dat hij ... eh, overtuigend aan zoonlief vertelde, dat hij hier-en-gunter verantwoordelijk was voor zijn rommel en dat hij daar-en-gunter niet moest proberen om zijn moeder van zijn eigen stommiteiten de schuld te geven. Gemompel boven, daarna algehele stilte, nog een half uur later Kenneth die de trap afdenderde de deur in het slot smeet en een uur later terugkwam, fluitend, in een prima humeur en mij een waanzinnig grote en dure bos rozen onder de neus duwde ..."

Vincie had van al die verhalen genoten en bovendien had de oude dame het heerlijk gevonden te mogen praten terwijl er iemand met aandacht en niet met goedige welwillendheid naar haar luisterde. Ze vertelde dan ook heel leuk, geestig en relativerend en schiep nooit een te volmaakt beeld van die te vroeg verloren zoon.

„Waarom lach je?" vroeg Michael ongeduldig en Vincie realiseerde zich, dat ze nog op de trap stonden en Michael niets van haar zwervende gedachten kon aanvoelen omdat hij haar natuurlijk nog helemaal niet kende.

„Ik vroeg me af, hoe dat hoofdstuk in het boek past en wat het voor boek is," zei ze plagend en grillig voegde ze er aan toe: „Het zou wel eens een wetenschappelijk werk kunnen zijn inplaats van een roman die gemakkelijk leest."

„Een stil water met een diepe grond, hè?" Michael was niet van plan door te lopen ofschoon Vincie opzichtig en overdreven huiverde. „Ik ben blij, dat ik je ontmoet heb." Michael bleef haar ernstig en peinzend aankijken. „Ik probeer te begrijpen wat je zou willen antwoorden maar je zult het niet doen ... Vincie, ben je zo op een afstand omdat je thuis iemand hebt waar je van houdt ... ben je daar met je gedachten maar waarom ben je dan hier?"

„Wat een vragen ..." Ze leunde tegen de muur en voelde opeens nauwelijks de kilte. „Hoe kun je iemand begrijpen die je nog maar een paar uur kent? Als het je zo interesseert, dan wil ik je wel

vertellen dat ik thuis geen vriend heb maar dat ik me vaak wel teleurgesteld heb gevoeld... Kort geleden nog, omdat ik, als ik iemand
sympathiek vind, mét hem of haar wil praten, maar niet langs elkaar
heen... Nou, dat gebeurde dan onder andere wel. Ik had een heel
sympathieke collega... dat dacht ik tenminste, maar we begrepen
elkaar totaal niet. Hij deed er ook geen moeite voor en daarom moest
ik de draad loslaten... maar daarom ben ik niet gevlucht, hoor. Ik
geloof werkelijk wel dat ik niet zo gemakkelijk ben. Nou, dat gaf
spanningen met mijn vrouwelijke collega's... Er kwam jalouzie bij
en toen kreeg ik genoeg van al dat domme gezeur en ging er vandoor.

Daarom sta ik nu hier op de zoldertrap in Engeland met jou in de
kou te bomen... Heus, Michael ik sta te rillen, en... eh... ik vind
het echt gezellig dat je er bent, ofschoon ik heus wel genoeg heb aan
tante Hazels gezelschap, ik verveel me nooit bij haar."

Tante Hazel werd juist wakker uit haar slaapje bij de warme open
haard. „Waar zijn jullie geweest... ik heb je niet weg horen gaan?"
Ze schudde haar hoofd meewarig. „Wat zien jullie er bevroren uit."
„Ik ging zoeken en Michael kwam míj zoeken en toen raakten we
aan het praten op de zoldertrap en daar was het koud," zei Vincie en
Michael bewonderde de manier waarop ze vlug en toch duidelijk
voor de oude dame formuleerde, en daarna meteen de hoofdzaak
vooruit schoof: „Kijk eens, tante Hazel, ik heb gevonden wat ik zocht
... en waar u altijd naar hebt gezocht."

Ze liet het rinkelbelletje van zilver op Hazels schoot glijden.

„O, Vincie... wat ben ik daar blij mee... waar heb je dat vandaan
getoverd?" Hazel liet de belletjes vrolijk rinkelen, een ogenblik zagen
zowel Vincie als Michael haar ogen en haar glimlach heel jong en blij
worden, het was alsof de jaren wegvielen.

„Vincie schijnt erg goed te zijn in het vinden van verdwenen voorwerpen," merkte Michael op. Hij bedoelde er niets bizonders mee,
het was een heel normale conclusie. Tenslotte had Vincie destijds
het doosje van Kenneth in het bos gevonden en nu vond ze het
rinkelbelletje weer.

Tante Hazel keek Michael even aan alsof ze iets wilde opmerken
maar het bij nader inzien toch maar liever naliet en Vincie keek
ronduit gebelgd en kroop in haar schulp. Daar had je het dan weer,

waar Michael zich in de luttele uren dat hij Vincie kende al zo vaak aan had gestoten, dat ellendige wegkruipen in zichzelf, die blik van 'raak me niet aan, zeg maar niets meer ... ik bén er niet meer voor jou.' Hij kon het niet verdragen en verwonderde zich over zijn eigen reactie. Tenslotte kende hij dit meisje nog maar zo kort en toch ... ja, en toch ... hij zuchtte diep en haalde de schouders op. Hij kon ook niet verwachten, dat hij, al was hij dan familie van Hazel, hier tussen kon komen. Hij mocht dan familie zijn, dat zei al heel weinig, in feite was er zo'n sterke band tussen de oude dame en het jonge meisje dat je daar niet tussen kon komen. Dat hoefde ook niet en hij zou het niet willen, maar die twee begrepen elkaar ook zonder dat ze in zoveel woorden uitten wat ze bedoelden.

Nu ook, dat geheimzinnige opkijken en toch zwijgen van Hazel, de manier waarop Vincie zich afsloot als een te ruw beroerd kruidje-roer-me-niet, terwijl hij toch niets bizonders had gezegd.

Tante Hazel stond op, ze legde het rinkelbelletje op de eikehouten schouw.

„Ik ben nu moe, ik wil naar bed. Vincie, ik leg het belletje hier neer, dan kan ik het dikwijls zien ... Later mag jij het meenemen, als ik er niet meer ben." Ze streek Vincie langs haar wang en knikte Michael hartelijk toe.

Het bleef lang stil, toen de deur achter haar in het slot was gevallen. Vincie zat heel stil op het haardkleed, in haar geliefde houding met de handen om de opgetrokken knieën gevouwen, en ze staarde geboeid in de vlammen.

„Dat zegt ze vaak ... ze is ook al zo oud," zei Michael zacht.

Vincie keek naar hem op, het vuur belichtte haar gezicht met de wonderlijke lichte ogen.

„En ze wordt nog véél ouder ... Dat is misschien haar noodlot, een soort straf voor haar, daarom is ze zo blij dat ze tenminste ons nog heeft. Ze zal nooit uit haar huis gaan ..."

„Dat weet je niet, dat denk je maar." Michaels stem klonk geïrriteerd.

„Je wilt haar niet missen ... begrijpelijk overigens."

„Inderdaad." Vincie stond op, ze bleef nog even staan, toen lachte ze zacht en een tikje spottend: „Verzet je niet, Michael en beken je zelf dat je een tikje jaloers bent. Maar waarom? Denk jij, die voor het eerst komt binnenvallen en je familie die zich weinig aan tante Hazel gelegen heeft laten liggen, dat jij nou opeens de eerste viool zou moeten spelen ... het woord 'familie' zegt weinig, de twee woorden 'gekozen familie' héél veel ... En nu, goedenacht Michael."

Ze was verdwenen voor hij van zijn verbazing, die overging in boosheid, was bijgekomen. Uren later zat hij er nog steeds, het vuur was gedoofd ... en Michael had toegegeven dat Vincie het scherp had gezegd, maar wel gelijk had ... en dat hij niets van het raadselachtige meisje Vincie begreep.

HOOFDSTUK 5

Vincie zat in de erker en ontbeet alleen. Ze had tante Hazel gewoontegetrouw haar thee en beschuit op bed gebracht. Die verwennerij vond de oude dame heerlijk, ze genoot er altijd weer van.

Als ze alleen was, stond ze om half acht op, zette thee in een klein potje en smeerde onverschillig haar beschuit. Ze had niet veel trek maar ze deed het plichtsgetrouw.

Op vaste tijden kwam iemand bij haar langs om te kijken of alles in orde was en om boodschappen te doen. Ook werd ze af en toe opgebeld en dat vond Vincie geruststellend, zelf belde ze heel vaak uit Nederland. Vincie's moeder had eens gezegd, en het niet hatelijk bedoeld, dat Vincie kapitalen vertelefoneerde met Eastbourne, maar Vincie had meteen vuur gevat.

„Als je zelf eens zo oud bent, en dat word je al geloof je het niet - je hebt ook niet de eeuwige jeugd, en niemand trekt zich iets van je aan, dan zal je vreemd kijken ... laat me dus maar en bemoei je er niet mee." Het was volgens haar vader 'hondsbrutaal' van haar maar Vincie had er alleen met een hooghartig gebaar haar schouders over opgehaald en dat had haar bijna een draai om haar oren van een getergde vader opgeleverd. Ze had op tijd gedoken en pa had dwaas in de lucht geslagen, waar Eddy oneerbiedig om gegild had van pret. Michael kwam binnen en ging tegenover haar zitten.

„Je bent laat," zei ze streng. „Maar er is thee en ze is nog heet ook, net gezet voor tante Hazel."

„Kindlief, ik heb al een uur rondgezworven, ik ben aan thee en een stevig ontbijt toe." Hij keek meesmuilend naar de rol beschuit. „Ik denk dat ik in de keuken eieren en spek ga klaarmaken."

„Je doet maar," zei Vincie koeltjes. Ze voelde zich niet geroepen halverwege haar prettige overpeinzingen bij een kopje thee in de zon naar de keuken te hollen om zo'n machtig Engels ontbijt voor Michael klaar te maken.

„Ik vraag jou toch niets?" beet hij haar toe. „Kijk niet zo zelfvoldaan. Ik ben gewend voor mezelf te zorgen en ik heb het iedere morgen gedaan. Zélfs thee voor tante Hazel gezet ... denk dus vooral niet dat je onmisbaar bent, klein ..."

Hij slikte het woord in, maar ze meende dat het klonk als 'loeder'. „Het is best hoor, lieve jongen," teemde ze met een tamelijk ijzig glimlachje. „Ik hoop dat het ontbijt je mag smaken en tante Hazel heeft al thee met beschuit gehad ... doe de deur dicht, het is koud."

Michael smeet de deur in het slot. Vincie keek naar het plafond en veronderstelde dat tante Hazel zich wel lag af te vragen wat er beneden gebeurde, maar voor zo'n oude dame was tante Hazel erg laconiek en zelden uit haar rust te krijgen. Ze dacht erg jong, zo omschreef Vincie het voor zichzelf.

Vincie hoorde Michael vals fluiten, met deurtjes gooien en een onwelvoeglijk woord uiten toen hij blijkbaar zijn vingers brandde. Vincie vroeg zich af, of ze moest gaan helpen maar ze deed het niet en een kwartier later werd de deur opengeschopt, waarmee tante Hazel als ze het had gezien waarschijnlijk minder gelukkig zou zijn geweest.

Michael laveerde binnen met een bord waarop een enorme portie gebakken eieren met spek en een ander bord in zijn linkerhand met een ongelooflijke berg brood erop gestapeld. Vincie's mond viel open.

„Denk je dat allemaal op te eten?" informeerde ze ontsteld. „Dat kan nooit gezond zijn."

„Ik heb het niet klaargemaakt om er alleen maar naar te kijken," beet Michael haar toe.

Vincie beet op haar lip om niet te gaan lachen. De ham en eieren zagen er lichtelijk uit hun verband gerukt uit, met zwarte korstjes die er beslist niet op hoorden.

„Keurig," zei ze vroom en dan met een stralende lach: „Eet smakelijk, Michael ... je hebt er zo hard voor gewerkt. Moet je thee, misschien liever een beker vol inplaats van een simpel kopje?"

Ze hief elegant haar hand om de theepot te pakken maar Michael gaf zowaar een nijdige klap op haar hand, waarna hij thee schonk in een klein kopje, de thee plensde dan ook prompt over de rand.

„Mag ik lachen?" vroeg Vincie met een klein stemmetje, ze verborg haar gezicht in haar handen.

„Je bent erger dan mijn vijf zussen bijelkaar." Michael grinnikte tegen wil en dank, waarna hij met smaak de berg boterhammen begon te verorberen en Vincie constateerde dat er inderdaad aan zijn formidabele eetlust niets mankeerde.

Michael was ook niet koppig want hij praatte en lachte alsof er geen reden tot ergenis was geweest maar waarschijnlijk was dat de winst van het zussenbezit, overwoog Vincie. Ze vond Michael aardig en zijn uiterlijk ... ze zuchtte diep. Waarom voelde ze zich zo tot Michael aangetrokken, natuurlijk zag hij er aardig genoeg uit om de aandacht te trekken maar dat was het niet. Hij leek zo verwarrend veel op die nooit vergeten 'vriend' uit haar kinderjaren, die zo'n onuitwisbare indruk op haar had gemaakt, dat ze altijd een vaag heimwee was blijven voelen. Hoe had ze het betreurd toen ze ongeveer veertien jaar was, dat Kenneth niet 'echt' was geweest en hier zat ze dan tegenover Kenneths evenbeeld en ze was intelligent genoeg om dat als een gevaar voor haar gemoedsrust te zien. Het was niet moeilijk, dacht ze, verliefd op een droombeeld te worden, vooral als dat beeld er zo aantrekkelijk uitzag als Michael en zo'n prettige persoonlijkheid was als hij, maar dat was niet genoeg, althans voor een meisje als Vincie niet. Ze had zich al eerder verbeeld, toen ze Gert ontmoette, dat dit nou de man was waarvan ze zou kunnen houden en het was op een teleurstelling uitgelopen.

Natuurlijk kon dat iedereen gebeuren.

Zij eiste misschien teveel, zoals ze zich ook nu weer angstig afvroeg: Vincie, waarmee ben je eigenlijk bezig? Kenneth heeft je altijd geboeid, goed ... laten we het eenvoudigweg noemen dat hij destijds niet 'echt' was, geen droombeeld ... het was méér, ik zag hem, omdat hij gezien wilde worden ... hij betekende iets wezenlijks voor mij, zoals zijn graf dat was en nog is en altijd zal blijven.

Als tiener droomde je, zoals alle tieners, maar jij betreurde het dat je die vriend uit je kinderjaren als ongrijpbaar wist en voelde dat je daar niet bij kon blijven stilstaan ... Maar vanaf het ogenblik, dat ze als kind uitriep, toen ze dat grote portret zag: „Maar dat is Kenneth!" was ze nooit de kamer binnengekomen zonder eerst naar Kenneths schilderij te kijken en ze had altijd het overigens niet ongewone gevoel gehad, dat vele mensen hebben die een goed geschilderd portret zien, dat de ogen haar volgden waar ze ook stond ...

Nu stond de dubbelganger van Kenneth voor haar, hij was beslist geen droombeeld. Niets was gemakkelijker en meer vanzelfsprekend dan hals over kop op Michael verliefd worden en wat dan, mijmerde Vincie, om te beginnen vindt hij mij helemaal niet aardig en zelfs erg vermoeiend – dat zie ik aan zijn gezicht als hij denkt, dat niemand het in de gaten heeft, maar zelfs als het anders was ... wat dan nog? Ik zou om hem zelf van hem moeten houden en niet omdat hij toevallig op de geïdealiseerde Kenneth lijkt ... Nee, ik heb Kenneth niet bewust geïdealiseerd, maar op de een of andere manier heeft de rol die hij in m'n leven heeft gespeeld vanaf het ogenblik, dat ik nog maar een kiendopje was, toch zijn sporen nagelaten. Ik verlang meer dan ik kan krijgen en ik wil beslist niet vluchtig verliefd worden op Michael omdat hij zo zwaar de familietrekken van Hazels familie heeft, dat hij als twee druppels water op haar zoon lijkt ... het kan gewoonweg niet, het zou onzuiver zijn. Geen mens verlangt ernaar verliefd te worden op een droombeeld, dat moet gewoon mis gaan. Net zo min als een beroemde filmster de man is, die hij moet uitbeelden, net zo min is vrolijke, ongecompliceerde Michael zijn ver familielid Kenneth ...

Michael kon daar allemaal niets van weten, ze wilde het hem ook niet vertellen, niemand mocht ooit iets van de werkelijke geschiedenis weten. Niemand kon dat begrijpen. Zelf had ze er jarenlang moeite mee gehad, maar het toch als iets dat moeilijk maar kostbaar en mooi was behoed. Ongecompliceerde, vrolijke, een tikje spottende en sarcastische Michael, die met beide benen vast op de grond stond, zou nooit iets kunnen begrijpen van haar tweede wereld, van de ongelooflijk tere draden die er gespannen waren tussen het kind dat liefdevol en uit eigener beweging een soldatengraf had verzorgd en die soldaat, die al tientallen jaren niet meer geleefd had ...

Waarom... ja, waarom? Vincie dacht daar positief over, op de een of andere manier had Kenneth gewild, dat zijn ouders wisten dat er een laatste groet was, dat hij van hen had gehouden. Tientallen jaren later, ja... maar wat is 'tijd'?

Ze nam zich voor er ook tegen Michael strikt over te zwijgen en ze wist, dat tante Hazel er ook zo over dacht, anders had ze Michael al ingelicht in de week, dat hij alleen bij haar had gelogeerd.

„Vin diep in gedachten..." Michael wapperde met zijn servet voor haar ogen en ze schrok op. „Ik vroeg of je het leuk zou vinden samen uit te gaan. Tante Hazel heeft er niets op tegen heeft ze me gezegd, bovendien krijgt ze bezoek van de enige vriendin die nog in leven is en ze vinden het natuurlijk dan veel gezelliger samen te zijn, denk je niet?"

„Ja, ik weet dat tante Hazel dan graag zelf voor thee zorgt...

Ze drinken uitsluitend thee en Mrs. Hunter is een erg aardige vrouw met een gezichtje als een rimpelig appeltje, hoewel ze veel jonger is dan haar vriendin en met stralende donkere pretoogjes."

„Je kunt met enkele woorden beeldend vertellen," zei Michael waarderend, hij leunde met overelkaar geslagen armen tegen de tafel en keek goedkeurend naar Vincie. „Mooi, dat appelgroene truitje bij je goudbruine haren. Je ziet er telkens erg smaakvol maar eenvoudig uit... precies zoals ik het graag zie."

„Dat is dan meegenomen," mompelde Vincie, ze grinnikte kwajongensachtig. „Een geluk voor jou, dat je m'n haren niet rood noemt. Ik heb eigenlijk niets tegen rood haar maar het mijne is dat nou eenmaal niet, of liever niet méér. Vroeger had ik peenhaar."

Toen hij lachte voegde ze er overtuigend aan toe: „Ik overdrijf niet. Het was niet rood, het was oranje en ik had er echt geen last van."

„Nee, waarom zou je... je moet een leuk kind zijn geweest," veronderstelde Michael. „Heel levendig en zo, vertel me er eens iets van."

Ze keek hem onderzoekend aan maar hij zag er niet uit alsof hij de gek met haar stak.

„Ik was een belhamel en zette het dorp op stelten," deelde ze zakelijk mee. „Aangezien mijn oom daar tegen wil en dank burgemeester was, durfden de mensen meestal niet te heftig tegen zijn lieve nichtje op te treden... hijzelf durfde het helaas wél. Hij was niet mak, hoor, maar verder wel aardig en zijn vrouw, waar mee hij toen overigens alleen nog maar voortdurend kibbelde, is een schat ... voor zover ik weet, tenslotte heb ik ze in geen jaren gezien."

„Was het leuk wonen in dat dorp?" vroeg Michael geïnteresseerd. Hij moest letterlijk zin voor zin uit Vincie trekken.

„O jawel," zei ze na enig nadenken. „Het was best aardig, het duurde overigens niet zo lang maar ik vond het toch wel jammer toen we teruggingen naar de stad. Het was zo ... zo'n veilig, besloten wereldje, zie je. Mijn jeugdige oom werd daar compleet wild van en daarom zwerft hij nou al jarenlang rond de aarde, maar ik denk dat hij nou onderhand het dorpsstof toch wel afgeschud zal hebben."

Michael hoorde het verlangen in haar stem en hij nam het de onbekende mensen kwalijk dat ze zo lang wegbleven, wat natuurlijk dwaas van hem was. Hij verwonderde er zich trouwens over dat hij alsmaar in Vincie's nabijheid wilde blijven, en zo toeschietelijk of vriendelijk of zelfs maar woordrijk was ze beslist niet tegen hem.

Tante Hazel kwam binnen. Ze zag er keurig verzorgd uit in een zacht lila japonnetje, het witte haar in keurige golven langs haar smalle hoofd.

„Tante Hazel, u bent een plaatje, een echte Engelse lady," complimenteerde Michael hoofs. Vincie keek hem verwonderd aan, haar wenkbrauwen vormden twee opgetrokken rondjes boven haar ogen. Michael zag het natuurlijk maar was zo wijs er niets van te zeggen, want tante Hazel voelde zich echt gevleid.

„Ik meende het, hoor, cactus," fluisterde Michael nijdig, toen hij de kans zag, omdat tante Hazel door de bewuste vriendin werd opgebeld.

„Ik zei toch niets?" Vincie keek hem rustig aan.

„Nee, je keek ... ik hoop dat mevrouw Hunter niet afzegt." Hij keek naar tante Hazel en hoorde haar zeggen: „Goed, dan verwacht ik je tegen half elf."

Ze wachtten tot Mrs. Hunter arriveerde en ze leek inderdaad op het winterappeltje dat Vincie had beschreven, constateerde Michael. Hij nam galant Mrs. Hunters mantel, parapluie en hoedje in ontvangst en Vincie bracht haar binnen. Voor ze samen vertrokken hoorden Vincie en Michael Mrs. Hunters hoge stem zingen: „Oooh, dear, wat een liéve, charmante jongelui ... wat gezellig voor je, dat ze hier logeren!"

„Wij hebben ongewild een goede beurt gemaakt," constateerde Michael en opende het portier van de wagen, die hij voor de duur van zijn verblijf in Engeland had gehuurd.

„Waar wil je heen?" vroeg Michael. „Jij kent de omgeving hier vrij goed, neem ik aan."

„Als ik zo maar een uurtje weg wil ga ik graag naar het strand in Pevensy Bay, het is heel iets anders dan je verwacht van 'strand'. Je loopt een kort straatje met lage huizen door en komt tot de ontdekking, dat de mooie huizen op de hoek en verderop bijna op het strand staan.

Er is maar zo'n kort stukje tussen kiezelstrand en de huizen, dat ik me steeds weer afvraag hoe het hier gaat met storm en slecht weer. Ik heb het alleen bij goed weer gezien en het boeit me. Het is er meestal ook heel stil ... er ligt ergens in de verte een vissersboot. Het is niet wat de doorsnee toerist zoekt, het is volmaakt anders. Ik vind het altijd weer heerlijk dáár wat te wandelen, zo maar te kijken ... Maar misschien wil jij heel iets anders ... iets levendigers?"

„Ik houd niet zo van drukte, dus op naar Pevensy Bay."

Het bleef een tijd stil, toen vroeg Vincie aarzelend. „Heb ... eh ... heb jij zo'n lange vakantie ... en hoe lang blijf je eigenlijk?"

„Wilde je me onmiddellijk weer kwijt?" vroeg Michael plagerig. „Ik heb inderdaad vakantie en ben vooruit gereisd. Ik heb in mijn land nogal naam door het maken van natuurfilms en zo.

Natuurkunde is mijn vak. Ik mag les geven maar dat doe ik niet, ik heb er geen zin in. Toen werd het filmen, adviezen geven en zo ... Nou, die filmploeg komt volgende week hier aan, ik geef deze keer adviezen dus ik heb al heel wat rondgeklauterd, vooral in Devon."

„Juist ja. Je geeft zulke héérlijk uitgebreide informatie ... maar niet echt!" Vincie schoot hartelijk in de lach. „Nou, ik hoop nog wel eens uitgebreider achter je werkzaamheden te komen, het is zo'n summiere berichtgeving en het lijkt me juist erg interessant. Ik kan me nu in ieder geval beter je enthousiasme over het vinden van die oude vogel- en natuurkunde boeken op tante Hazels zolder voorstellen. Zijn het alleen maar kijkfilms of zijn ze ook informatief?"

„Ook informatief, ze worden bij ons ook wel eens als deel voor lesmateriaal aangevraagd. Het gaat niet alleen om kijken naar interessante dieren, ik wil altijd het hoe en waarom naar voren zien te brengen." Hij keek vlug even terzijde. „Je kijkt zo nadenkend, ben je het er niet mee eens?"

„Natuurlijk wel, alleen ... ik kijk zo graag naar iets moois zonder dat ik nou absoluut moet weten hoe die schilder, die componist of wie-dan-ook er toe gekomen is en wat hij er mee bedoelde ... Jij bent ook typisch een man, die heel nuchter denkt en wél altijd het hoe en waarom overal van wil weten en dat ook alleen maar gelooft. Ik bedoel, dat jij alleen maar zult kunnen geloven wat je kunt bewijzen." Ze zweeg plotseling, geërgerd omdat ze zich zo had laten gaan maar het was gebeurd zonder dat ze het had gewild.

Michael dacht hierover na. Het duurde vrij lang voor ze antwoord kreeg.

„Ik weet niet, of je gelijk hebt ... Ja, ik ben erg praktisch en nuchter en ik bewijs graag wat ik zeg ... vanzelfsprekend, maar ik wist niet, dat dit zo'n in het oog springende eigenschap van mij was dat iemand die ik nog maar kort ken daarover valt. Want dat is toch zo. Je vindt het geen goede karaktereigenschap, of wel?"

„Ja ... in zeker opzicht natuurlijk wel," gaf ze aarzelend toe. „Ik weet ook niet waarom ik daar zo over viel."

„Nee, dat begrijp ik evenmin," gaf Michael toe, hij was eerlijk.

Maar Vincie niet, want zij begreep in werkelijkheid heel goed waarom Michaels instelling haar niet zinde. Ze zou hem nooit iets durven vertellen van de ware achtergrond van haar vriendschap en verbondenheid met Kenneths ouders. Hij zou er eenvoudigweg totaal niets van kunnen begrijpen. Waarschijnlijk zou hij haar hysterisch, vreemd of over haar toeren gedraaid vinden of hij zou medelijdend zijn schouders ophalen en haar aanraden rust te nemen en een psychiater te bezoeken.

Ze zat nu eenmaal met het levensgrote probleem, dat ze altijd doodsbang was op dat punt verkeerd begrepen te worden, dus zweeg ze er over maar ook dat kostte inspanning.

Intussen hadden ze Pevensy Bay bereikt. Op Vincie's aanwijzing draaiden ze het korte, stille straatje in waar ze de auto konden parkeren.

Daarna liepen ze nog een paar meter en stonden op het kiezelstrand, dat zachtjes glooide naar het water.

„Het is natuurlijk ook wel een behoorlijk breed stuk strand en de

96

huizen liggen dus niet zo laag." Michael keek rond, blij verrast met dit uniek stukje vrije natuur dat een toerist niet zoekt.

„Inderdaad, Vincie, dichter bij zee wonen dan deze mensen is niet mogelijk. Het is fantastisch... gelukkige mensen. Ik weet ook niet hoe ze het hier met storm en in de winter maken maar het moet de moeite waard zijn. Ze zijn overigens niet afgesloten van de wereld want ze lopen de straat uit en ze zitten in hun winkelstraatje. Ongelooflijk."

Ze liepen naar beneden, naar zee, waar kinderen bezig waren van schelpen een mozaïek in het natte zand te leggen.

„De roep van de zeemeeuwen klinkt hier anders dan wanneer je er zo eens een paar hoort bij ons, vind ik tenminste." Vincie volgde met haar ogen de sierlijke vogels, maar dan was ze weer opeens bezig mooie witte keien bijeen te garen. „Zou het mee kunnen? Voor tante Hazels tuintje. Ik zou ze wel mee willen nemen naar Nederland, maar dat wordt wat te zwaar... O, en kijk eens!"

Ze raapte een zuiver roze steentje op, bizonder mooi van kleur.

„Je zou het zo in een zilveren rand moeten kunnen vatten en aan een ketting hangen." Ze bekeek het steentje in de palm van haar hand.

„Ja hoor, ik hou 'm, dat is mijn gelukssteentje."

Ze stopte het zorgvuldig weg in een klein zakje van haar jasje, dat met een ritsje sloot.

„Ik wil best keien voor je meenemen als ik maar wist waar ik ze in moest vervoeren," zei Michael en Vincie waardeerde het dat hij niet zei, dat ze die stenen beter kon laten liggen. „Goed, we laten ze hier liggen, vlak bij de poort van dat huis en als we van het strand gaan, gebruiken we allevier onze handen om jouw keien te versjouwen."

Ze renden hand in hand verder langs de zee en het was heerlijk, tot Vincie het hijgend opgaf.

„Moe gerend?" Michael ving haar in zijn armen op. Ze wilde zich meteen bevrijden maar hij gaf haar de kans niet.

„Vin, ik ken je nog maar zo kort... maar ik geloof, ik wéét, dat ik je nooit meer wil missen...." Hij kuste Vincie onstuimig maar ze duwde hem weg, zacht maar beslist.

„Wat kun je nu zeggen van anderhalve dag?" Ze wist niet of ze wilde lachen of huilen, ze voelde zich blij en gelukkig maar beslist niet onbezorgd. Voor haar lag het anders. Michael was vanaf de eerste seconde een grote verrasing voor haar geweest, boeiend en uniek omdat hij op Kenneth leek ... maar was dat eerlijk en moest het niet op een grote teleurstelling uitlopen? Wat Michael betrof: alleen maar een man die gecharmeerd is van een meisje, dat er leuk uitzag en hem boeide omdat hij haar niet begreep ... en dat was nu ook niet bepaald een bodem voor diepere gevoelens.

„Michael, we kennen elkaar nauwelijks en ik heb geen behoefte aan een vakantieflirt." Ze bleef hem met haar handen op zijn schouders terugduwen maar Michael weigerde haar los te laten.

„Ik zoek evenmin een vakantieflirt, ik heb jou gevonden!" hield hij koppig vol. „Ik weet niet wat je van me denkt, of misschien weet ik het wél, daar heb je weer zo'n kerel, die meteen verliefd gaat doen, die geen normaal woord met een vrouw kan praten zonder aan 'seks' te denken. Nou, zo is het dan niet, Vincie ... mijn mooie, lieve Vincie uit Holland. Ik weet niet waarom, maar het is een feit ik heb nog nooit gedacht als ik verliefd was: Deze is het nou ... deze en geen ander meer. Mag ik je beter en in alle rust leren kennen, vriendschap met je sluiten, je leren begrijpen ...?

Wil je dat wel of is het zo, dat je me helemaal niet mag? Je kunt me af en toe zo ... zo vréémd aankijken met die wonderlijke ogen van je, alsof je helemaal niet weet, wat je van me moet denken. Alsof je me echt niet graag mag ... en waarom zou je ook? Ik kan ook niet verwachten, dat het jou is vergaan zoals mij ... Vin, toe, geef eens antwoord."

„Ik mag je juist zo graag, Michael, ik weet alleen niet of ... of het wel zo is, dat het genoég is ... en dat kan niet in anderhalve dag ... Bij mij zeker niet ..." Ze keek van hem weg. De wind speelde met het bruingouden haar en ondanks het feit, dat hij Vincie vasthield en ze ook niet meer tegenwerkte, had hij op dat ogenblik zuiver het gevoel, dat ze hem ontglipte, er eenvoudig niet meer was.

„Vin ..." zei hij dringend, hij schudde haar zachtjes doorelkaar. „Vin, kijk me aan. Kom eens terug tot de wereld ... waar denk je aan?" Hij voelde haar verstrakken, langzaam werd ze vuurrood.

„Waarom zég je dat, ik ben toch hiér ... niet in een andere wereld ... ik ben wel degelijk hiér!" Ze duwde hem heel boos van zich af en Michael begreep opnieuw niet waarom ze zo reageerde, en toch had hij even geraakt aan die tweede wereld van Vincie ... en dat wilde ze niet!

„Laat me onmiddellijk los en laten we naar huis gaan."

„Zoals u beveelt, mevrouw," zei Michael grimmig en hij kuste haar vol en stevig op haar lippen. „Dat is dan dát ... en als je soms denkt dat ik m'n spijt ga betuigen, kun je daarnaar fluiten."

„Doe niet zo gek," siste ze kwaad. „En maak niet zo'n heibel voor één zoen."

„Wil je er meer hebben?" treiterde Michael en weigerde nu helemaal haar los te laten.

„Als je dúrft ..." Haar blauwe ogen sproeiden nu vuur.

Nu, Michael durfde inderdaad en het stond niet bepaald in Vincie's draaiboek, dat ze tenslotte haar tegenstand opgaf en, wat ze erger vond, de druk van zijn lippen beantwoordde.

„Toe nou, wat doen we gek ..." Ze ontworstelde zich licht hijgend aan zijn omhelzing. „Nee, Michael, ik ben echt niet van plan de dagen die we nog samen bij tante Hazel doorbrengen te gebruiken met geheime vrijerijtjes achter haar rug. Dat vind ik stijlloos, te meer daar ik helemaal niet weet, hoe het met ons verder moet ... ik wil alles rustig kunnen overdenken, ik wil wel vriendschappelijk met je omgaan. Maar ik moet weten, wat ik echt voor je voel of ga voelen. Het is niet moeilijk verliefd te zijn. Jij voelt je tot mij aangetrokken ... en ik tot jou. Dat is geen grond om op te bouwen. Ik wil niet verdrinken in een vloedgolf.

Ik méén het, Michael ... en laat me los, we gaan heus weg."

Michael liet haar zwijgend los. Hij sprak haar niet tegen, hij beschouwde Vincie ook beslist niet als een gemakkelijke prooi.

Langzaam wandelden ze naast elkaar terug.

„Ik hoop, dat je niet boos bent," zei Vincie zacht. „Ik hoop zelfs, dat je het begrijpt. Het is zo mooi en zo romantisch: de zee, het strand, het geluid van de meeuwen ...

Het was een romantisch moment. Ik heb er ook van genoten maar ondanks dat ..."

Michael nam haar hand in de zijne, met een vertrouwenwekkende, warme vriendschappelijke druk en zo liepen ze verder.

„Je hebt ook gelijk, wat is anderhalve dag? Voor mijn gevoel is het anders, maar het meisje dat Vincie heet, zou niet anders kunnen

reageren. Als je dat wel had gedaan, zou ik me misschien nog teleurgesteld hebben gevoeld. Alles wat ik weet is dat ik er niet aan moet
denken, dat je vandaag of morgen weer af zult reizen, alléén... Ik
heb het gevoel, dat ik dan het eerste het beste vliegtuig moet nemen
om je na te reizen... en dat kan dan niet voor m'n werk.
Oh, Vincie, wat heb je me aangedaan zonder het te willen... ik hou
van je, ik kan er niets aan doen... Maar trek het je niet aan, het is
geen dwang die ik op jou wil uitoefenen."
Vincie gaf er geen antwoord op. Voor haar lag de zaak niet zo
eenvoudig als ze blijkbaar voor Michael was.
Op weg naar huis kwamen ze tot de ontdekking, dat ze de witte
keien vergeten waren maar Vincie had er niet zoveel belangstelling
meer voor, ze was erg stil en Michael zei ook niet veel. Mrs. Hunter
stond op punt om weg te gaan toen zij thuiskwamen en Michael
bood aan haar even weg te brengen. Zij kwam en ging altijd dapper
met de bus maar nam dit aanbod toch dankbaar aan.
„Heb je een prettige dag gehad?" vroeg tante Hazel aan Vincie. „Ik
geloof, dat jullie het nu wel goed met elkaar kunnen vinden en dat
is prettig. Ik houd van jullie allebei. Vincie, heb ik het goed gedacht
... je wilt niet, dat Michael meer weet dan, nu ja, dan hij weet?
Daarom zeg ik ook maar niets."
„Hij zou het niet begrijpen," zei Vincie zachtjes. „Het is goed zoals
het nu is, waarom zouden we alles op gaan halen? Dat is van ons,
niet van... zelfs niet van Michael."
Als alles anders was geweest, dacht Vincie, dan zou ik van Michael
hebben gehouden om hem zelf. Nu weet ik niet wat me drijft... ik
ben verliefd op hem maar dat is niet zo moeilijk, maar verder...
Zal me niet altijd de gedachte dwars zitten, dat ik hem misschien
gewoon voorbij zou zijn gelopen als hij niet Kenneths evenbeeld was
geweest? Wat kan ik er aan doen, dat ik als kind zo onder de indruk
was van dat gezicht, een gezicht dat niet eens bestond, tenminste
niet meer toebehoorde aan een levende. Misschien heb ik onbewust
altijd rondgelopen met de gedachte: Als ik ooit eens iemand tegenkwam die op Kenneth leek, dan... ja dan...
Maar nu dat gebeurd was, schrok ze ervoor terug. Ze wilde van
iemand houden die niets te maken had met die jeugdbelevenis, maar
vandaag was ze zo in de war door het gesprek met Michael, dat ze

niets anders meer wist dan dit ene: Het is beter, dat ik zo vlug mogelijk naar huis ga, het is allemaal zo gecompliceerd, ik zal mezelf nooit echt leren kennen op deze manier.

Mevrouw Graham legde alleen in het voorbijlopen even haar hand op Vincie's hoofd. Ze hadden weinig woorden nodig om elkaar te begrijpen.

Michael kwam thuis en bleef stil die avond, zat te lezen en af en toe gingen zijn ogen naar het zilveren rinkelbelletje op de schoorsteen. Typisch kind, Vincie ... hij was het eigenlijk wel eens met alles wat ze gezegd had op het strand van Pevensy, maar waarom had hij dan toch het ongeruste gevoel gehad, dat ze hem op een wijze die voor hem het minst pijnlijk was wilde afwijzen? Ze mocht hem graag en dat zou genoeg moeten zijn, althans voor het ogenblik, maar hij had het nare en onbevredigende gevoel dat er iets was wat hij niet kon begrijpen. Ze kwam een tikje geheimzinnig over en hij kon peinzen zoveel hij wilde, hij wist niet op welk punt hij 'in de fout' ging en hij had al zo vaak hun hele kennismaking, vanaf het begin, gerepeteerd, dat hij er nu een barstende hoofdpijn aan had overgehouden. Hij ging vroeg naar bed, knikte kort tegen Vincie en gaf zijn tante een kus op haar mooie witte haren. Toen hij eenmaal op zijn kamer was, stond hij in het donker voor het raam te staren. Er was beslist niet veel te zien.

„Wat moet ik er nou mee?" dacht hij triest. „Het is natuurlijk niet erg om haar rustig de tijd te laten, maar we wonen zo verdraaid ver van elkaar en dat zou nog niet het ergste zijn, maar ik voel, dat ze me ontglipt ... ergens klopt er iets niet. Maar wat ... maar wat?" Erg blij of tevreden had Vincie er trouwens vanavond evenmin uitgezien, zo bleek en stilletjes, dat tante Hazel telkens onderzoekend naar haar had gekeken. Die oude schat moest beslist gedacht hebben, dat Vincie met hem had gekibbeld en dat ze het geen van beiden wilden weten voor haar.

Tot verwondering van tante Hazel en Michael was Vincie de volgende morgen in een stralende bui. Ze konden haar niet helemaal volgen en eerlijk gezegd, vonden ze haar zo vroeg in de morgen nogal vermoeiend. Michael was geen ochtendmens. Niet slecht gehumeurd maar wel stil bracht hij gewoonlijk de eerste uren van de dag door en van tante Hazel kon helemaal niet verwacht worden, dat ze om half acht al liep te joelen door het huis en vrolijk met deuren gooide, wat anders ook Vincie's gewoonte niet was.

„Zij heeft de moeilijkheden al van zich af gezet," dacht Michael beledigd en hij informeerde knorrig: „Wat mankeert jou? Schreeuw niet zo en gooi niet met de deuren, denk om tante Hazel."

„Ik schreeuw niet, ik zing," merkte Vincie op, met haar neus hooghartig in de lucht. „Tante Hazel is al op en ze vindt het echt niet erg als ik zing... beter dan dat sacherijnige ochtendgezicht van jou."

„Goed... maar waarom schreeuw je zo," hield Michael narrig vol. „Als je beslist onaardig wilt blijven doen, zal ik m'n mond wel houden." Vincie haalde de schouders op en betrapte zich er vijf minuten later op, dat ze weer liep te zingen. Maar deze keer lachte Michael erom.

„Niet stuk te krijgen," constateerde hij hoofdschuddend. „Wie of wat is verantwoordelijk voor dit jolijt?"

„Dat weet ik niet... zo maar. Ik heb het gevoel alsof er iets prettigs zal gebeuren vandaag... misschien is het helemaal niet waar, maar ken jij dat niet, dat plotselinge gevoel van welbehagen, alsof het gewoonste feestelijk is... alles is zonniger, alles is mooi... zo voel ik het, hoe gek je het ook vindt."

„Droomster, geloof je echt in zulke dingen?" Michael schoot in de lach en schudde medelijdend zijn hoofd. „Ik denk, dat ik te nuchter ben om je te kunnen volgen. Nee, ik geloof er niet in."

Vincie was tegenover hem gaan zitten, ze steunde haar hoofd in de handen en haar feestelijke stemming ebde langzaam weg.

„Nee, dat kan jij niet begrijpen," zei ze en ze zuchtte diep, haar ogen dwaalden van zijn gezicht naar Kenneths beeltenis... hoe was hij geweest? Tante Hazel had het haar zo vaak verteld: koppig, eigenwijs maar goed en erg gevoelig met een hang naar mystieke verhalen en gebeurtenissen. Hij was zelf ook een beetje als zij geweest, een heel andere inslag dan dit familielid van hem, dat niets geloofde wat hij niet zag. Een van de redenen waardoor Vincie terugschrok voor langer verblijf hier, want dan kwam onherroepelijk de dag dat ze het niet meer verstandelijk kon bekijken...

Bovendien betrapte ze zich erop, dat ze steeds vergelijkingen trok tussen Michael en Kenneth.

„Ben je soms verliefd op een géést?" vroeg ze zichzelf cynisch af.

102

„Kom nou toch, Vincie, kom met beide voeten terug op de grond. Je ziet met ieder uur, dat Michael totaal niet bij jou past, je innerlijk, je 'tweede wereld' kan je niet veranderen, je moet er mee leren leven om een moderne dooddoener te gebruiken. Maar laat Michael dan met vrede."

„Je stemming is helemaal omgeslagen," zei Michael vriendelijk, hij raakte over tafel zachtjes haar hand aan. „Is dat bolletje van je zo zwaar dat je het met twee handen moet steunen? Ik geloof dat ik erg vervelend tegen je heb gedaan... daar ben je toch niet boos over?"

„Ach, welnee." Ze ging recht zitten en schonk zich nog een kop thee in, waarna ze een vies gezicht trok want de thee was lauw en veel te sterk. „Kom, ik ga even nieuwe thee voor tante Hazel zetten, dit bocht is niet te drinken."

Michael probeerde zich in zijn post te verdiepen, maar het wilde niet erg lukken. Tante Hazel kwam binnen, gevolgd door Vincie met een enorme pot verse thee.

„Ik had vanmorgen een zangvogel in huis, het klonk gezellig." Tante Hazel knikte tegen Vincie, die in de lach schoot.

„U waardeert het tenminste; Michael vroeg waarom ik zo schreeuwde, maar ja, u bent, net als ik een ochtendmens... erg gezellig." Vincie bleef echter zeldzaam rusteloos en ze ving verschillende malen de blik van Michaels peinzende ogen, hij begreep er niets van. Het vervelende was, dat ze het in zo'n geval zélf niet eens begreep en er dus geen uitleg over kon geven, als ze dat zou hebben gewild. Tegen half tien rinkelde de telefoon. Michael, die vlak bij het toestel zat, nam aan.

„Voor jou, Vincie... je moeder!" Ze nam de telefoon over. Hij zag dat ze eerst schrok, maar toen zag hij Vincie's gezichtje opleven met de stralendste lach die hij ooit had gezien. Die zette haar hele gezicht en haar ogen in gloed, ze sprankelde gewoonweg. Haar stem werd heel hoog en gelukkig en ze danste op de plaats-rust, want anders zou ze de telefoon van het tafeltje hebben getrokken. „Oh, wat heerlijk... wat ongelooflijk... en wanneer... en wanneer wist je het... nee, ik heb geen radio gehoord... o dag... dág... o, pappa, ben je daar... weet je wanneer ze komen... nee? Nou, laat het me gauw weten... misschien hoor ik het zelf... dag... kusjes voor Edje... tot ziens."

Michael zat haar stomverbaasd aan te kijken.

Vincie danste door het dolle heen van geluk naar tante Hazel en omhelsde haar stevig.

„Ze komen thuis, ze komen thuis! Ik was bang, dat het nooit meer gebeuren zou ... ik kan het bijna niet geloven," riep ze in het Engels. „Wat heerlijk voor je kind," zei Hazel Graham en toen zagen ze opeens hoe Michael keek, niet alleen verbaasd maar ook ontdaan. Was hier de oplossing van het raadsel Vincie ... was ze zo gelukkig omdat er 'iemand' thuiskwam van een reis, die veel voor haar betekende? Waarom had ze dat dan niet eerlijk gezegd?

„Roy en Nicky zijn in goede gezondheid op weg naar huis," vertelde ze, struikelend over haar woorden. „Ik heb je toch over hen verteld? Ik kan het haast niet geloven ... zie je wel, Michael, dat ik het goed had met mijn ochtendgeschreeuw, om jou te citeren."

„Inderdaad, je intuïtie, of wat dan ook, had het bij het rechte eind." Michael schudde verbijsterd zijn hoofd. „Mijn excuses, jij had weer gelijk. Het is natuurlijk alleen toeval maar het blijft toch wel grappig. Het duurt zeker nog wel een paar weken voor je familie terug is, geloof dat maar. Ze zullen echt niet morgen binnenzeilen."

„Nee, natuurlijk niet, maar ik weet nog niet waar ze uithangen." Vincie had op dat ogenblik weinig belangstelling voor iets anders. „Ik zie wel ... ik moet gewoonweg even uitwaaien, even rennen langs de boulevard."

Ze vroeg niet eens of Michael meeging maar na een korte aarzeling ging hij haar toch na.

„Mag ik meelopen?" vroeg hij. „Je was zo gauw verdwenen."

„Ach, natuurlijk ... ik was even zo dolblij, dat ik alles vergat."

Ze stak hem met een spontaan gebaar de hand toe en zo liepen ze tot aan de pier.

„Zullen we er even opgaan?" vroeg Michael en ze knikte, waarna hij de kaartjes nam en ze zich eensgezind door het smalle tourniket werkten, waarbij Vincie zich altijd afvroeg hoe echt dikke mensen hier doorheen moesten komen. Ze had het in ieder geval nooit zien gebeuren dat er iemand klem bleef zitten. Ze liep graag op de pier, het waaide er altijd zo hard en daar hield ze van. Bovendien vond ze van hieruit het gezicht op de boulevard van Eastbourne boeiend. Op de terugweg bleef Vincie staan bij de glasblazerij. De mensen konden het proces van dichtbij bekijken en alles wat werd gemaakt ging, vooral in het seizoen, net zo vlot van de hand. Vincie vond de zeemeeuw die juist was neergestreken op een keisteen erg mooi maar veel te kwetsbaar om mee te nemen.

„Ik krijg het ding nooit heel in Holland," zei ze spijtig.

Ze gingen koffie drinken in het restaurant achteraan op de pier. Het was er tamelijk rustig.

„Vertel jij nou eens iets over jouw jeugd en jouw leven in Australië," verzocht Vincie.

Michael zei afwerend, dat hij slecht kon vertellen en dat zijn jeugd gezellig was geweest maar dat hij zich altijd met hand en tand had verzet tegen het overwicht dat een moeder en vijf zussen probeerden uit te oefenen.

„Ik was dus vrij ondeugend, een verschrikkelijke belhamel, maar voor de rest liep het wel los," zei hij schouderophalend en hij haalde een portefeuille tevoorschijn, die volgens Vincie aan vernieuwing toe was, en er kwamen foto's op tafel van het huis, van zijn ouders en al zijn zussen.

„Je bent toch erg op ze gesteld, anders sjouwde je niet alle foto's mee," constateerde Vincie tevreden. „Ik vind ze er allemaal aardig uitzien, ze lachen zo leuk ... nou ja, dat doe jij ook."

„Kijk, en dit is mijn grootmoeder, dus de zuster van tante Hazel."

„Ja, ze lijken ook op elkaar. Jammer toch, dat je je eigen zuster zo uit het oog kunt verliezen, ze hebben niets aan elkaar gehad in hun lange leven, ze schijnen trouwens allebei ijzersterk te zijn." Vincie schoof de foto terug en bekeek de laatste foto, waarop zijn ouders in een enorme tuin waren gekiekt.

„Jammer, dat ik hen jou niet kan laten zien," zei Michael spijtig. „Het zijn prima mensen, je zal ze best graag mogen en ik hoop, dat je ze op een dag zult ontmoeten ... zou je dat willen?"

„Ze lijken me erg aardig maar of ik ze ooit zal ontmoeten ... het is niet naast de deur." Ze zweeg even, voegde er dan met een licht geïrriteerde klank in haar stem aan toe: „Ach, waarom draai ik er met algemeenheden omheen. Ik weet het niet, Michael, laten we het aan de toekomst overlaten."

Toen zei Michael iets hatelijks, dat Vincie hem erg kwalijk nam.

„Jij weet het toch allemaal zo goed ... nou, ik dacht, dat je dit dan ook wel zou weten."

Vincie week terug alsof ze een klap in haar gezicht had gekregen. „Het spijt me, dat jij je zo aan me geërgerd hebt," zei ze strak en verbeten. „Ik pretendeer niet, dat ik zoveel weet en ik vind het een verschrikkelijk botte opmerking van je. Michael, het wordt me steeds duidelijker ... maar zie jij dan niet, dat wij nooit bijelkaar zullen passen? Ja, een tijdje ... maar zodra we niet meer hevig verliefd op elkaar zijn, gaat het mis, dat weet ik zeker."

„O, weet je het weer zeker?" sneerde Michael. Ik dacht, dat ik eigenwijs was maar het valt inderdaad tegen om met een meisje om te gaan, dat alles zeker weet ... kun je niet eens één keer toegeven, dat je je vergissen kan? Ik heb overigens nog maar zelden zo dwars en opstandig gereageerd ... en zeg nou niet, dat je dus gelijk hebt en jij en ik elkaar nooit goed zullen verdragen of begrijpen ... spaar me je chiché's."

Ze dronken nagenoeg zwijgend hun koffie en Michael reageerde nauwelijks op een paar opmerkingen van Vincie, die liever geen ruziestemming wilde, omdat ze dit voor tante Hazel zo ellendig vond.

„Michael, ik wil naar huis. Je doet zo ongenietbaar." Ze stond op en liep naar de uitgang, ze keek niet meer naar hem om en het duurde lang voor hij haar inhaalde, omdat hij eerst nog had moeten afrekenen. Vincie liep intussen al op de boulevard, ze keek niet toen Michael naast haar opdook.

„Had je niet even behoorlijk kunnen wachten?" vroeg hij beledigd. „Ik wilde niet," gaf ze heel simpel terug en daarop gaf hij geen antwoord meer. Tante Hazel keek eens van het ene gezicht naar het andere, toen ze zwijgend binnenkwamen, en dacht er het hare van. Het ging helaas toch niet zo goed tussen die twee als ze gedacht had dat het zou gaan.

's Middags kreeg Michael een telefoontje, met het verzoek een paar dagen naar Devon te gaan en daar diverse zaken, onder andere de logeermogelijkheden, te gaan regelen.

Michael had geweten, dat dit zou komen maar hij was er nu allesbehalve blij mee. Het enige wat hij wilde was in de buurt van Vincie blijven.

„Wanneer ga je weg?" vroeg tante Hazel beduusd. „Wat jammer ...

enfin, je wist dat het zou gebeuren."

„Ja, maar niet zo gauw. Ik ga maar pakken en ik vertrek morgenochtend vroeg, want voor ik het weet staat de hele ploeg voor mijn neus, ze zijn zo onberekenbaar, dat blijkt nou weer." Hij ging naar boven maar het kofferpakken hield blijkbaar weinig in, want hij was er binnen een kwartier mee klaar. De boeken die hij van tante Hazel mocht hebben zou hij binnenkort komen ophalen. „Ik kom zo gauw mogelijk terug."

Tante Hazel dacht dat hij waarschijnlijk zo gauw hij kon weer hier zou zijn om Vincie. Zij was voor hem zo belangrijk. Hij was die middag erg rusteloos en hij leefde op, toen tante Hazel voorstelde, dat hij er nog maar even met Vincie op uit moest trekken.

„Goed, dan gaan we stenen halen in Pevensy Bay... ja, Vincie?" Vincie wilde liever niet maar ze durfde niet te weigeren.

De stenen lagen er nog, niemand had er belangstelling voor gehad dus lieten ze de witte keien opnieuw liggen om naar het strand af te dalen, waar Vincie op de houten beschoeiïng ging zitten.

Ondanks de ruzie hinderde het haar meer dan ze had gedacht, dat Michael morgen zou weggaan.

„Ik weet nu al dat ik je verschrikkelijk zal missen," zei Michael naast haar. „Ik kom zo gauw mogelijk terug, al is het maar voor een paar uur... alleen maar om jou te zien. Misschien is het goed, dat ik weg ga, dan kun jij intussen nadenken, daar heb je erg veel behoefte aan, hé?"

„Ik pieker heel wat af," gaf ze toe met een klein lachje, het liefst had ze haar armen om Michaels hals geslagen en gezegd: „Ik wil bij nader inzien helemaal niet, dat je weggaat.

Ik doe er alleen niet goed aan ... wat is het allemaal waard? Omdat ik altijd onder de indruk ben geweest van Kenneth wil ik jou, omdat je op hem lijkt. Zoals een meisje dat op een filmster verliefd is en dan een jongen neemt die vaag op hem lijkt. Maar bij mij is het méér door die voorgeschiedenis, een kwellend soort heimwee. Naar wie? Waarnaar? Misschien alleen maar naar die dagen van m'n jeugd in het dorp, ik weet het niet, ik weet het niet meer. Ik wil zo dolgraag eens ongecompliceerd verliefd zijn ... gelukkig zijn ... niet altijd gevolgd worden door die andere Vincie maar misschien kan dat niet, misschien ..."

„Vincie, is er iets ... is er iets dat je me vertellen wilt?" Michael had haar aan zitten kijken terwijl ze zo diep in gedachten was.

„Is er iets, dat je hindert ... Zeg het me dan, praat met me. Ik krijg zo weinig uit je. Zodra ik denk, dat ik één stap in je richting mag doen, doe jij drie passen terug."

Hij nam haar gezicht in zijn hand en draaide het niet al te zacht in zijn richting: „Ik weet dat er iets is, Vin, ik wéét het, maar je wilt me niets vertellen ... waarom doe je zo? Denk je, dat ik je niet zou begrijpen? Probeer het dan ... geef me de kans."

„Er is niets," hield ze vol en ze weigerde haar ogen op te slaan.

„Er is ook geen ander als je dat soms denkt ... nu niet en vroeger evenmin. Tenminste, ik heb wel iemand erg ... erg sympathiek gevonden maar daar is het bij gebleven, het kon niet anders."

„Wat is dan het probleem? Zeg het, Vincie ... zég het!"

Ze schudde haar hoofd, zo goed en zo kwaad als het ging. „Ik heb niets te zeggen ... heus niet. Je moet me niet zo dwingen ... niet zo haasten."

Ze stond op punt om in tranen uit te barsten. Diep in haar hart was ze een heel triest, eenzaam meisje, dat te lang gezwegen had en nu met zichzelf geen raad meer wist.

„Ach, laat dan maar ... ik wil je zeker niet ongelukkig zien ... door mijn schuld." Hij liet haar gezicht los en trok haar dichter tegen zich aan, met haar hoofd tegen zijn schouder en zijn arm beschermend om haar heen. „Prinses Goudhaar, voel je nou maar veilig en rustig. Ik wil je niets proberen af te dwingen, alleen ... ik heb het gevoel, dat er iets anders tussen ons staat dan onverschilligheid van jouw kant ... je bent niet onverschillig."

„Nee, ik mag je verschrikkelijk graag ... en meer dan dat ... maar ik wil tijd hebben om na te denken." Ze trok zijn gezicht naar beneden en haar glimlach was lief en warm. „Ik weet niet of ik morgen afscheid van je kan nemen op mijn manier, dan is tante Hazel erbij en ze weet toch al niet, wat ze van ons moet denken."

Vincie kuste Michael, voor enkele ogenblikken waren ze wensloos gelukkig en Michael wist dat het tenslotte toch goed zou komen.

„Vincie ..." Voor het eerst keek hij van heel dicht bij in Vincie's ogen en het was niet de gewone opmerking over de mooie ogen van het meisje. „Je hebt eigenlijk heel wonderlijke ogen, heel helder en

108

diep. Heel sterk ook, ze kunnen je vast houden ... Het is niet alleen dat ze zo maar mooi zijn ... net alsof, alsof ..."

'Alsof ze méér zien ...' had hij willen zeggen. Verschrikt en verwonderd over deze dwaze ingeving, hield hij op het laatste ogenblik die woorden tegen.

„Alsof wat?" vroeg Vincie en ze kneep haar ogen een beetje dicht.

„Ik dacht toch heus, dat het gewone blauwe ogen zijn. Ik vind ogen die je heel dichtbij kunt bekijken altijd wonderlijk. Ik dacht dat jij grijze ogen had, maar er zitten allerlei bruine vlekjes in, net als van onze lapjeskat ...toch wel leuk, hoor."

Ze gierde om zijn verbouwereerde gezicht en vergat verder te vragen wat hij nu eigenlijk had willen zeggen.

Met de armen om elkaar heen wandelden ze langs het strand en vergaten later voor de tweede maal de witte keien, die ze de vorige dag al hadden willen meenemen.

HOOFDSTUK 6

Michael stond op punt om af te reizen. Hij had zijn koffer in de wagen gegooid, hij kuste tante Hazel en daarna trok hij Vincie naar zich toe en kuste haar innig.

„Als ik terugkom, heel gauw, dan praten we echt. Nu waren het nog maar inleidende gesprekjes. Tot ziens Vincie." Vincie had nog een paar kussen te pakken - Michael leek op een wervelwind - daarna rende hij naar zijn wagen, wuifde nog even tegen Vincie en tante Hazel, zijn wagen schoot de hoek om en was verdwenen.

„Wel, wel," lispelde tante Hazel betekeningsvol. „Michael heeft blijkbaar een grote verovering gemaakt."

„Jawel, maar toch ... zo eenvoudig als het lijkt is het niet, tante Hazel." Vincie drentelde rusteloos door de kamer, ze bleef staan voor het schilderij en bekeek het met peinzende ogen.

Hazel Graham keek naar haar en vroeg zich af, hoe dikwijls zij in de afgelopen jaren het kind en later het jonge meisje zo voor het schilderij had zien staan, altijd in gedachten verzonken en ze had zich vaak afgevraagd wat ze dacht maar het nooit gevraagd.

„Ik denk, dat ik morgen naar huis ga, tante Hazel." Vincie keerde zich onverwachts om.

„Dat is dan niet aardig tegenover Michael, Vincie ... of weet hij het?" vroeg mevrouw Graham met ongewone strengheid.

„Nee, dat weet hij niet, maar, nu ja, het is beter zo. Als Michael terugkomt begint dat touwtrekken opnieuw. Ik mag hem verschrikkelijk graag ... ik ... ik houd van hem, nee, ik ben verliefd op hem en ik weet niet of dát genoeg is," zei Vincie. Ze begon opnieuw rusteloos te drentelen.

„Mijn lieve Vincie, dat moet ieder jong stel maar afwachten, of hun liefde groot genoeg is ... de mijne was het bijvoorbeeld wel en heeft meer dan vijfenvijftig jaar standgehouden. Ik weet, dat het niet maatgevend voor jou en Michael is ... ik neem aan, dat er iets anders is wat jou heel erg dwars zit. Kun je het mij niet vertellen?"

Vincie maakte een ongeduldig gebaar met haar hand alsof ze iets wilde wegvagen.

„Michael weet alleen dat ik destijds de spullen van Kenneth heb gevonden, de rest weet hij niet ... hij zou er niets van begrijpen, hij heeft, dacht ik, een zekere harde kern, een nuchtere inslag, die ... nou ja, die alles verwerpt wat je niet kunt zien en betasten. Dat is het niet alleen, Michael lijkt teveel op Kenneth."

„Maakt dat iets uit?" vroeg Mevrouw Graham verwonderd. „Ik dacht, dat het jou juist zou trekken ... die perfecte gelijkenis."

Vincie keek haar peinzend aan, toen schudde ze beslist haar hoofd.

„Wat ik destijds beleefd heb is natuurlijk uniek. Ik heb het nooit echt kunnen vergeten, het was er altijd. Kenneth, mijn grote vriend, zo zag ik hem. Het is een soort verering, ik weet het niet precies bij de juiste naam te noemen. Je kunt tenslotte ook een grote bewondering hebben voor iemand die eeuwen geleden geleefd heeft.

Er zijn mensen die honderden boeken over Napoleon hebben gelezen, onverschillig of hij die bewondering nu wel of niet heeft verdiend ... Misschien heb ik Kenneth geïdealiseerd, het is alles bijelkaar, hè? Eerst het verzorgen van zijn graf, dan het zien van Kenneth in het bos, daarna het schilderij, en u en oom Edward, die zo dicht bij Kenneth hebben gestaan, alles wat u vertelde ... Kijk, voor mij is Kenneth gaan leven - maar hij was er niet, niet écht en dan staat er opeens iemand voor me, levend in deze tijd, een heel andere persoonlijkheid dan Kenneth geweest moet zijn, maar met zijn uiterlijk... en dat maakt me bang, onzeker... ik bedoel, zijn karakter en zijn uiterlijk kloppen voor mij niet met elkaar... dat klinkt gek maar zo voel ik het nu eenmaal."

Het bleef lang stil, toen zei Hazel Graham zacht: „Maar ken je Michael wel goed genoeg om zo'n oordeel over hem uit te spreken. Hij is een goed mens, kind, maar hij leeft in een andere, nog hardere tijd... niet alleen harder... ook onverschilliger helaas. Het is onvoorstelbaar van hoe weinig dingen de mensen tegenwoordig echt onder de indruk raken, je moet je wel wapenen met een hardere buitenkant, een schild. Ik geloof dat Michael dat doet... dat hij meer begrip voor jou zou kunnen opbrengen dan je denkt. Maar, mijn lieve kind, je kent jezelf nog steeds niet en misschien is het beter, dat je naar huis gaat. Hier kom je niet achter je ware gevoelens... maar je kunt Michael dit niet aandoen, hij is zo... tot over zijn oren op je verliefd, en dat niet alleen: je bent nu eenmaal die ene voor hem. Als jij denkt, dat je dit nooit voor hem kunt opbrengen, ga dan naar huis en leer jezelf kennen."

„U bent boos op me... in ieder geval trekt u Michaels partij."

Vincie zakte in een stoel neer en huilde, wat ze zelden deed.

„Nee, Vincie, je weet wat jij altijd voor ons hebt betekend, ik kan nooit tègen jou zijn..." Een hand op haar haren, die zachtjes over haar gezicht streek. „Je bent, buiten Kenneth, het kostbaarste wat we in ons leven hebben gekregen. Ik wil je ééns gelukkig zien en ik hoop, dat ik het nog mag beleven... Wat Michael betreft... ik ken hem nog maar kort, dat is waar, maar hij... nou ja, die gelijkenis is er nu eenmaal en dat telt voor mij zwaar... maar ik zou er nooit aan denken een van jullie beiden over te halen tot iets, dat niet voor jullie geluk is bestemd... Alleen omdat ík dat nou zo prachtig zou vinden. Ik denk, dat ik dáár te oud voor ben geworden en te verstandig ben. Het is jullie zaak, alleen van jullie en ik zou wel willen helpen als het me gevraagd werd, maar ik wens op geen enkele manier te... te intrigeren... En schei nou uit met huilen, meisje."

Toen Vincie de volgende morgen vertrok, wuifde tante Hazel haar rustig uit, ze toonde dan nooit enige emotie. Ze vond het heerlijk als Vincie kwam, maar oefende nooit druk op haar uit als ze weer ging. Vincie liet met een schuldgevoel beladen de oude dame weer alleen.

111

Enkele uren later was Vincie thuis en viel daar opeens in zo'n heel andere wereld, dat ze het gevoel kreeg, dat ze de dagen bij tante Hazel en Michael maar in een droom had beleefd. De opwinding over de aanstaande terugkomst van de zeilers was zo groot, dat iedereen werd meegesleept, ook Vincie. Niemand vroeg, hoe ze haar dagen in Engeland had doorgebracht. Dat leek erg onhartelijk en dat was het dan ook wel maar Vincie kon het wel begrijpen.

Shireen kwam de eerste avond aanlopen. Ze leek op een kleurige paradijsvogel, dacht Vincie opnieuw. De kamer was vol kleur als Shireen binnenwaaide, want gewoon binnenkomen deed ze nooit. „Hoe heb je het gehad?" zong ze met een glinstering van ongelooflijke tanden.

„Je bent de eerste die het vraagt," antwoordde Vincie een tikje sarcastisch. „Dank je, ik heb het fijn gehad, zoals gewoonlijk. Hoe gaat het met jou? Werk je?"

„O ja hoor, ik ga bij een band zingen, een nieuwe ... We heten 'The Ticker Tapes,' je weet wel, die papiertjes waarmee ze in Amerika hoog bezoek plegen te bestrooien vanuit de vensters ... Nou, wij werken daar ook mee, met lichteffecten dan. Het wordt echt heel goed, ik zing en ik draag fantastische gewaden ... heel gekke dingen, te gek!"

„Gunst, ik wist niet dat je zong?" Vincie bekeek Shireen met hernieuwde belangstelling.

„Ik wist het zelf ook niet." Shireen grijnsde en maakte een paar exotische dansgebaren waar moeder Carola misprijzend naar keek in het voorbijlopen en waarover vader Pierre en zijn dochter in de lach schoten.

„Ik weet niet waar het op lijkt, maar het zal best leuk zijn, met veel harde muziek, mooie gewaden en lichteffecten," zei Vincie troostend. „Zing eens wat ..."

„Welnee, dat kan ik immers niet," bekende Shireen in alle gemoedsrust. „Opgepept, en met een fantastisch pakkie aan, is het best leuk. Ze nemen me meer om m'n uiterlijk en ik ga m'n haar heel anders doen, met glinsterkraaltjes ... dat staat me enorm goed."

Vader Pierre grinnikte maar Vincie zei kattig: „Je hoeft er helemaal niet om te lachen, pa. Kijk eens naar Boney M. Niemand weet wat er nou waar is. Zingen ze zelf, wordt er geplaybackt? Maar ze zien er fantastisch uit, het is een stelletje mooie meiden die zich weten te kleden en hoe ze zich moeten bewegen... Waarom zou Shireen dat niet kunnen, ze is er mooi genoeg voor."

"Het zal me een zorg zijn," mompelde Vincie's vader. "Shireen heeft iedere maand andere plannen."

Shireen keek beledigd en Vincie ook. Ze namen het, net als in de oude tijd, nog altijd voor elkaar op. Vincie's vader hoopte van harte, dat de vlinderende Shireen goed terecht zou komen maar wat er ook gebeurde, ze kon altijd op Vincie rekenen en dat wist ze.

"Zeg, Vin, hoe heb je het eigenlijk gehad?" vroeg Pierre aan tafel. "Kom je daar nou nog mee?" Vincie keek hem spottend aan. "Laat maar, ik neem aan dat jullie helemaal in de roes zijn."

"Hoe was het bij tante Hazel?" vroeg Carola, alsof ze Vincie's opmerking niet had gehoord.

"Goed! Ze had nog een logé... een neef. Het was gezellig," zei Vincie lusteloos, ze keek langs haar ouders naar buiten en ze vroeg zich af of Michael al naar tante Hazel had gebeld en wist dat ze weg was. Had ze niet beter een brief voor hem kunnen achterlaten, dit was wel erg bot geweest... weggaan zonder een woord. Hij wist niet van haar voornemen om terug te gaan naar huis, althans niet op zo'n korte termijn.

In het vliegtuig had ze al spijt gehad en ze zou het liefst zijn teruggegaan, ze miste Michael verschrikkelijk. Het was alsof ze hem haar levenlang had gekend en liefgehad... Maar dat kwam door de gelijkenis, hield ze zich voor.

"Waar ben je met je gedachten?" vroeg Carola. "Ik zeg al drie keer, dat je Ed die lepel even moet afnemen, hij zit zo te knoeien. Help hem dan even, zeg."

Ed was dwars, mepte de lepel omhoog, zodat Vincie de spinazie in haar gezicht kreeg.

"Druiloor! Schei nou eens uit, hè?" Ze zette hem hardhandig recht op zijn stoel en rukte de lepel uit de hand van het kind.

Eddy schreeuwde alsof hij gevild werd en sloeg, rood van drift, naar zijn zusje.

"Het is feest in huis, mijn dochter is thuis," mompelde Pierre.

"Ja, en je zoon zit aan tafel met een enorm grote wafel," gaf Vincie terug, waarop iedereen begon te lachen en Eddy stopte zijn misbaar nu er niemand meer aandacht voor had.

„En dit, dames en heren, was het middelpunt der huiselijke gezelligheid ... de maaltijd!" zei Carola met zalvende stem waarna ze
uitschoot en haar zoon met enige kleine rampen dreigde als hij
doorging met kliederen. Eddy blies onvervaard een spinaziebelletje,
werd bij zijn arm gepakt en buiten de kamer gezet.

„Wat heerlijk om weer thuis te zijn," mompelde Vincie devoot.

„Het is minder rustig dan bij een oude dame van bijna negentig jaar,"
zei Carola verongelijkt. „Ik ... Pierre, breng die jongen naar zijn
kamer, hij staat tegen de deur te trappen."

Pierre stond op, verliet met grote passen de kamer en het geluid van
Eddy's protesterende stem verplaatste zich naar boven. Carola en
Vincie keken elkaar aan en lachten eensgezind. Waarschijnlijk zat
Pierre nou boven zijn zoon te troosten door hem een of ander wild
verhaal voor te lezen, waar Eddy gek op was.

Wat Vincie verwachtte, gebeurde niet. Michael liet niets van zich
horen. Ze verwachtte iedere dag post maar er gebeurde niets.

„Het is beter zo," dacht ze. „Wat zijn nou ook twee dagen om op te
bouwen, dat kan toch ook niet. Die zogenaamde liefde van Michael
voor mij is een strovuur geweest ... anders niet. Ik begrijp het ook
wel maar het doet pijn. Als ik anders was geweest en niet zo weife-
lend ... maar ik ben nou eenmaal zo en ik heb het al moeilijk genoeg
met mezelf. Zo zal het voortaan wel altijd gaan."

Michael had de volgende morgen al gebeld. Tante Hazel had hem
moeten vertellen, dat Vincie was afgereisd.

„Dat kunt u niet menen! Afgereisd ... heeft ze een brief achtergelaten?" De oude dame hoorde hoe verslagen zijn stem klonk en ze
had hem zo zielsgraag een ander antwoord gegeven.

„Ze heeft geen brief achtergelaten ... niets," zei ze zachtjes. „Het spijt
me zo, jongen. Zodra er bericht van haar komt, hoor je het, maar laat
haar voorlopig met rust."

„O, ik zal haar heus niet nareizen, ik zal het aanvaarden zoals zij het
wil, maar zo had het toch niet moeten gaan ... niet zó. Wat valt me
dat van Vincie tegen." Hij zweeg even, voegde er dan zachter aan toe:
„Ik begreep Vincie ook niet, ze wilde vrij zijn. Ik weet niet waarom
... ik wéét het niet. Laat maar, tante Hazel, maakt u er zich geen

114

zorgen over, ik kom hier werkelijk wel over heen, hoor."

Hij belde af en liep terug naar buiten. Een week geleden wist hij nog niets van Vincie en nu was zijn wereld inelkaar gestort, omdat dit wonderlijke, vreemde maar boeiende meisje er zonder meer vandoor was gegaan en hem niet eens een afscheidsbrief waard gekeurd had. Het deed er niet toe dat hij haar nog maar zo kort kende, hij had geweten dat hij Vincie wilde hebben en houden.

Hij had haar mee willen nemen naar Australië, naar zijn ouders en zijn zusjes en hij had haar zijn land willen laten zien, waar hij van hield. Hij zou trots op haar zijn geweest maar ook op zijn familie maar nu hoefde dat allemaal niet meer. Vincie, de ongrijpbare Vincie, was hem ontglipt. Hij had waarschijnlijk nooit een reële kans gehad om haar voor zich te winnen. Nou, werk was het beste medicijn, het duurde hier nog een paar maanden en daarna kon hij terug gaan naar Australië, een illusie armer. Er zou in de toekomst ooit wel weer een ander meisje op zijn weg komen maar nooit meer een Vincie, die haar naam voorgoed in zijn hart had gegrift.

Bij Vincie thuis was het bericht binnengekomen, dat de 'Sylvi' nu binnen een week verwacht kon worden. Nicky's vader, moeder en broer en Vincie met haar ouders en haar broertje reisden hen tegemoet om in de haven van Brighton aan boord te gaan en Nicky en Roy te kunnen begroeten, zonder al de poespas van pers en radio en T.V. om hen heen. Ze zouden dan het laatste deel van de reis meemaken.

Natuurlijk waren ze er al een dag eerder: een vrolijk maar toch wel hypernerveus gezelschap.

„Het is niet te geloven," zei mevrouw Travers. „Ik heb m'n dochter in geen vijf jaren gezien. Ik had destijds niet durven denken, dat het er bij zo'n luxe kind als Nick inzat om zo'n zwervend leven te gaan leiden."

„Nicky was helemaal niet zo luxe ingesteld, dat leek maar zo door dat beroep van haar. De peperdure dingen die ze droeg maakte ze zelf, nietwaar. Oh, ik ben toch zo verschrikkelijk benieuwd... en hoe zouden ze ons vinden... en Eddy kennen ze helemaal niet, die was nog niet eens in aantocht toen ze vertrokken... wat ratel ik, hè?" zei Carola beduusd.

115

Roy's moeder was er ook bij, zoals gewoonlijk een pool van rust in het drukke gezelschap.

„Zou die boot de belasting van acht mensen extra wel aankunnen?" informeerde Carola in alle ernst en toen brak er een homerisch gelach uit.

„Na alle wereldzeeën en avonturen doorstaan te hebben, Carool, lukt het 'Sylvi' ook nog wel ons mee naar huis te nemen," plaagde haar man. „Laten we liever zeggen dat die boot op veel méér mensen berekend was en dat die twee het lekker ruim hebben gehad met z'n tweeën en een minihondje."

Het was Vincie die trillend van opwinding riep: „Daar komt ie ... daar is de 'Sylvi' ... kijk eens, met al die jachtjes eromheen. Oh, wat enig ... papa, alsjeblieft, film het binnenkomen van de 'Sylvi'."

Niemand wist overigens nog precies wat hij deed of zei, of tegen wie hij sprak, het was een nogal chaotische toestand. Ze hadden allemaal de 'Sylvi' wel tegemoet willen zwemmen. Een uur wachten als je er vijf jaren op hebt zitten, is een heel zware opgave.

Om hen heen werd het steeds drukker, ook hier konden ze dus niet ongehinderd blijven maar het deed er allemaal niet meer toe. Eindelijk konden ze de twee figuren herkennen. Nicky wuifde met beide armen en Roy zwaaide met zijn pet, maar had het verder te druk met 'Sylvi'.

Vincie stond temidden van de drukte om haar heen te kijken naar Nicky, die ze nu duidelijk kon herkennen. Ze was heel erg slank en donkerbruin gebrand ... ja, toch wel anders geworden, maar met dezelfde leuke, wijde lach en Roy had helemaal niets meer van de keurige burgemeester van een klein, rustig dorp. Hij was net zo bruin als Nicky en zag er inderdaad stoer uit, als een moderne Viking, vond Vincie romantisch, en ze bleef even achter toen het zover was dat de 'Sylvi' afgemeerd werd.

Roy hielp Nicky van boord en volgde zelf met een flinke sprong. Ze doken gewoonweg onder in een kluwen omhelzende mensen, er werd gelachen, geroepen gehuild en druk gefilmd ... Eddy raakte in de verdrukking. Nicky praatte nog steeds met haar moeder, toen ze zich omdraaide en Vincie zag. Haar ogen werden nog groter dan ze van nature al waren.

„Ben jij ... néé, dat is niet te geloven!" Ze trok Vincie naar zich toe.

„Het kleine eendje is een mooie zwaan geworden..."
„Zeg maar gerust het lélijke eendje... o, Nicky!" Ze viel Nicky om de hals. „We hebben je zo gemist, jou en Roy... wat heerlijk dat je er bent, het leek wel alsof jullie nooit meer kwamen..."
„Er zijn wel eens benauwde momenten geweest," lachte Roy. „Wel, wel, als dat Vincie is... ja, dat moét wel... wat een beauty ben jij geworden. Je lijkt helemaal niet meer op ondeugende kleine Vincie." Nicky had vriendschap gesloten met Eddy, die het allemaal machtig interessant vond en meteen aan boord wilde.
Uk werd in triomf van boord gehaald. Ze zag er nog steeds uit als een speelgoedhondje.
„Ze lijkt geen dag ouder geworden maar dat komt omdat ze zo klein is." Vincie knuffelde het hondje, waar ze vroeger zo vaak voor had gezorgd. „Ongelooflijk, dat zo'n klein dier vijf avontuurlijke jaren heeft overleefd en hoe... ze ziet er prachtig uit!"
„Ze is ook prima verzorgd, onze scheepshond," zei Roy.
Tijdens het drukke en gezellige diner kon Vincie af en toe heel stilletjes naar Roy en Nicky blijven kijken. Ze waren nog even gezellig en hartelijk als vroeger, met belangstelling voor iedereen en ze wilden ook helemaal niet alleen aan het woord zijn maar Vincie vond hen toch veranderd. Deze mensen zouden eenvoudigweg nooit meer in de enge grenzen van een lief dorp passen. Roy was een zeeman geworden en Nicky had niet meer dat precieuze van vroeger, ze was destijds als het Roy betrof nogal snel aangebrand, hoe lief ze verder ook was. Deze Nicky zag alles in een breed verband, ze zeurde niet over kleinigheden want vond dat gewoonweg de moeite niet waard, merkte Vincie aan tafel. Carola wond zich op, omdat Ed vervelend werd door alle opwinding. Nicky keek even, zei ook niets stekeligs tegen Carola, wat ze vroeger beslist zou hebben gedaan, maar nam zonder dat het opviel Eddy over mét zijn boze bui. Ze vertelde hem van het schip en waar hij allemaal kijken mocht als hij er straks opkwam en dat was eigenlijk de hoofdzaak. Het kind wilde helemaal niet aan tafel zitten, het wilde natuurlijk naar die prachtige boot met die fantastische oom en tante... dus dat was geregeld.
„We zijn de laatste keer wel geschrokken, hoor," zei Carola. „Toen we dachten dat jullie zoek waren, alleen Vin geloofde dat het wel in orde zou komen en dat was gelukkig ook zo."

„De radioverbinding was uitgevallen," vertelde Nicky simpel, ze vond het niet nodig erbij te vertellen dat het in noodweer was gebeurd, dat ze zich net had vastgegespt aan de lijn toen ze overboord sloeg en dat het zelfs met die reddende lijn helemaal niet leuk was geweest. Roy was zich bijna een ongeluk geschrokken, had haar met moeite weer binnenboord gehaald en het was goed afgelopen, met een paar ontvelde armen en een stelletje blauwe plekken die er niet om logen. „Was het zo eenvoudig? Nee, hè?" vroeg Vincie zachtjes, toen het gesprek weer algemeen werd.

„Nou ... néé." Nicky keek Vincie nadenkend aan. „Je kunt jou weinig wijsmaken. Ik verheug me erop weer eens fijn met je te kunnen praten binnenkort."

Van praten kwam voorlopig niets. De reis met de 'Sylvi' naar de thuishaven was zo'n enorme belevenis voor het groepje mensen aan boord maar niemand had de grootse ontvangst verwacht. Geëscorteerd door grote en kleine boten, die een enorm fluitconcert aanhieven, kwam de 'Sylvi' na vijf lange jaren in de thuishaven terug. Het stond zwart van de mensen, er werd gejuicht dat het een lieve lust was en de pers liep te hoop. Het viel Vincie op als iets, dat haar goed deed, dat Roy en Nicky overal zo merkwaardig rustig onder bleven, vriendelijk stonden ze iedereen te woord en ze vonden de ontvangst ook hartverwarmend. Ze straalden van blijdschap omdat ze behouden thuis waren gekomen maar temidden van drukte en gewoel, bleven ze toch de enigen die zich niet opwonden en het allemaal rustig en met vriendelijke woorden en glimlachjes prachtig in de hand hielden.

Vincie was ervan overtuigd dat niets hun ontging.

Ze waren zo gewend op alles te letten, omdat het van levensbelang kon zijn, dat het een tweede natuur was geworden. Later, toen er even wat kregelige woorden dreigden, omdat iedereen Roy en Nicky graag te logeren wilde hebben, loste Nicky dat heel vlot op. Met het oog op de boot en de schrijvende en filmende pers, die nog meer bezoeken had aangekondigd, wilden ze de eerste dagen dichtbij blijven en wilden ze bij Pierre en Carola logeren, daarna een aantal dagen bij Nicky's ouders en daarna bij oma in het dorp. Nicky's broer studeerde nog en zat op kamers. Hij wilde wel een paar dagen thuiskomen als zijn zus en zwager er waren. De betrokken gezichten waren opgehelderd.

„Nou en daarna zien we wel … we hebben nog geen vaste plannen," zei Roy en hij knipoogde tegen zijn vrouw. „We gaan in ieder geval voorlopig niet het zeegat uit, hoor. Het zal wel voor jarenlang ankeren worden. We zoeken wel ergens een optrekje dicht bij de zee."

„Je hebt destijds geaarzeld of je Nick wel als 'matroos' mee zou durven nemen," plaagde Nicks vader zijn schoonzoon. „Is het nogal meegevallen? Nou kan je er tenminste over oordelen."

„Nick is zonder meer de hoofdprijs in de levensloterij," zei Roy ernstig. „Wat wij samen hebben meegemaakt in die jaren daar kan ik wel vijf boeken over schrijven en zo'n relatie is niet meer stuk te krijgen, dat verzeker ik u. Dat kan ik moeilijk in een kort gesprek waar maken, waarom wij er zo over denken, Nicky en ik … Zonder elkaar hadden we dit nooit gered, soms was de een voor de ander de verbindingsdraad tussen leven en dood en we hebben vaak voor elkaars leven moeten vechten. Nou … het is gelukt, dat zie je … Voor Nick ga ik door het vuur, en zij voor mij, zo is dat en we weten waarover we spreken na vijf mooie, wonderlijke en vaak moeilijke jaren … niet, Nicolientje?"

„Ja, dat weten we." Nick knikte in Roy's richting, haar glimlach was van een warmte en goedheid, die onbeschrijfelijk waren.

„En het trouwe scheepsdier … hadden jullie daar nooit moeite mee?" vroeg Nicky's broer na een korte stilte, die gevallen was na Roy's woorden.

„O nee, die heeft het altijd prima gemaakt en is ook nooit ziek geweest … die kruimel is gewoonweg een ijzeren kruimel," vertelde Nick trots. „Ze is trouwens intelligent, heeft ons door haar kabaal ook wel eens op groot gevaar opmerkzaam gemaakt. Het is zo, dat we gewoonweg wéten als Uk lawaai schopt, heeft ze er reden toe en het is beter maar op onderzoek uit te gaan. Roy heeft trouwens al jaren geleden zijn mening over zo'n handjevol hond herzien, Uk is klein maar erg dapper en moedig, ze is nergens bang voor … dat vinden we zo mooi!"

Langzamerhand ging de opwinding over de terugkomst van Roy en Nicky liggen en op de dag vóór Nick en Roy naar haar ouders zouden vertrekken, kwam Nicky naar Vincie's kamer.

„Hallo, wat leuk … ga zitten," zei Vincie verrast. „Ik dacht, dat je met mama en Eddy naar de stad was."

„Nee, ze is met een vriendin gegaan, ik wil liever met jou praten, we hebben door alle drukte maar zo weinig gelegenheid gehad om samen te praten." Ze nestelde zich in een gemakkelijke stoel, nadat ze de koffie die ze had meegebracht op tafel had gezet.

„Met een schaaltje gebietste koekjes ... ben ik goed in," had ze er droogjes bijgevoegd. „We kwamen soms op de gekste manieren aan voedsel, ik bedoel maar ... ik vind altijd wel wat."

Vincie begon hartelijk te lachen.

„Hè, gelukkig, je kunt nog lachen, het klinkt goed!" Nicky keek haar onderzoekend aan, zakte genoeglijk onderuit in haar stoel en vouwde haar armen overelkaar, het was helemaal de houding:

'We praten hoe dan ook en mij maak je niets wijs'.

„Wel?" vroeg ze, toen Vincie niets zei. „Het is vreemd, maar ondanks de vijf jaren die er tussen liggen, zie ik toch onmiddellijk dat je ergens mee zit ... wat ben je aan het doen, Vincie?"

„Ik weet het niet. Ik wou dat ik het wist, Nicky. Weet je eigenlijk, heb je ooit beseft hoe diep dat destijds met Kenneth in mijn leven heeft ingegrepen? Het was niet zomaar een gebeurtenis, die voorbij gaat. Voor mij is het nooit voorbij gegaan, wist je dat?" vroeg Vincie. Ze haalde allebei haar handen door haar haren, streek het weer terug tot het glad om haar hoofd lag, op één eigenwijze krul na.

„Ik had een vermoeden, ja. Ik wist dat je een heel gevoelig kind bent geweest. Gevoelig ben je nog steeds, merk ik. Ik zal nooit die zondagmorgen lang geleden vergeten, toen je totaal over je toeren kwam binnenrennen ... Evenmin als de schok van herkenning toen je daar in Engeland voor dat portret 'Maar dat is Kenneth' uitriep. Dat maakte een enorme indruk op ons. Dat kon je onmogelijk weten, maar je wist het. Ik kan me voorstellen dat de herinnering aan zo'n gebeurtenis niet snel vervliegt. Maar vertel verder," drong Nicky aan.

Aarzelend maar na een poosje iets vlotter vertelde Vincie hoe moeilijk ze het zichzelf al die jaren had gemaakt, omdat ze hier nooit met iemand over had willen, en kunnen praten – en niemand het ooit met haar besprak.

„Als je erover zou beginnen, zit je meteen weer in zo'n hoekje dat ... nou ja, ongewoon is. Waar niemand wil zitten maar waar iedereen wel nieuwsgierig naar is, waar mensen om lachen ... of den-

ken dat je interessant wilt doen. Mensen die zelf heel nuchter zijn
bijvoorbeeld, zoals ... Michael." Ze zweeg even en haalde weer rusteloos haar handen door het springerige, goudbruine haar heen.
„Ik probeer het weg te duwen. Maar dan gebeurt er weer iets, zoals
toen jullie vermist werden en iedereen het me kwalijk nam dat ik
niet huilend en handenwringend rondliep ... Ik wist gewoon dat
jullie weer van je zouden laten horen maar dat kon ik niet zo zeggen.
Zo was het ook met de rinkelbelletjes ..."
Vincie vertelde het voorval en voegde er kortaf aan toe: „Michael is
m'n werkelijk grote probleem, zie je."
Nicky lachte even, ze dronk haar koud geworden koffie op en trok
er een vies gezicht tegen. Ze nam snel een koekje om de smaak te
verdoezelen.
„Nou nee, dat zie ik niet, Vincie. Ik weet niet eens wie Michael is
... Als je eens begon met me dat te vertellen?" stelde ze voor.
„Nou, eh ... Michael is een opgedoken familielid van tante Hazel.
Hij komt uit Australië." De wonderlijke blauwe ogen keken Nicky
peilend aan, werden toen heel zacht en lief. „Hij lijkt als twee druppels water op Kenneth en ik ben ... dat wil zeggen, Michael is hals
over kop verliefd op mij geworden, niet alleen verliefd, zegt hij, hij
houdt verschrikkelijk veel van me ... maar hoe lang kenden we
elkaar helemaal?"
„Wat doet dat er nou toe ... daarom kun je elkaar wel herkennen,
weten, dat je die ander beter wilt leren kennen, sympathie en an-
tipathie op het eerste gezicht bestaat natuurlijk ... Ik weet niet hoe
Michael is. Meent hij het? Is hij iemand die met allerlei mooie
praatjes achter meisjes aanloopt om gemakkelijke veroveringen te
maken? Is hij zo ... is hij anders?"
„Hij is anders." Vincie schudde met een kort, geïrriteerd gebaar haar
hoofd. „Ik geloof, dat hij erg degelijk is en zo, maar hij is ook een
erg ... erg nuchter mens, die niet licht zal geloven ... nou ja, al die
verhalen over Kenneth. Het zou hem ergeren denk ik, hij zou me
dwaas vinden. Ik vertelde hem natuurlijk niets en tante Hazel evenmin, die heeft daar altijd in alle talen over gezwegen. Gelukkig maar
... het was niet iets om sensatiebladen mee te vullen of aan de grote
klok te hangen. Het was móói ... het was van ons ... verder niets. Ja,
en dan is voor mij van groot belang dat, behalve het ellendige feit

dat Michael me nooit zou begrijpen, ik het als een grote belemmering zie, dat hij zo verschrikkelijk veel op Kenneth lijkt ... en ik heb Kenneth altijd als iets ... iets wezenlijks in mijn leven gezien, dat klinkt misschien gek maar het is nou eenmaal zo. Ik vroeg me dus af: hou ik nou van Michael, hoe ik me ook tot hem aangetrokken voel, of hou ik van het beeld dat hij naar voren brengt, alleen door zijn gelijkenis met Kenneth ... en dat wil ik niet, dus ..."

Ze leunde terug in haar stoel, liet eindelijk haar haren met rust en keek naar Nicky, angstig, oplettend en bereid om in de verdediging te gaan, als Nicky het kortweg als onzin zou bestempelen.

„Ik heb de sterke indruk, dat je een en ander ook totaal niet met Michael hebt uitgesproken, met welk smoesje heb je hem dan afgescheept?" Het klonk onaangenaam recht in de roos en zo was het dan ook bedoeld.

„Word eens wakker, droomster," Nicky fronste haar wenkbrauwen. „Je hoeft me niet zo boos aan te kijken, ik meen het toch heus. Wat heb je tegen Michael, waar je volgens mij verliefd op bent, gezegd om hem uit je buurt te houden?"

„Niets, zeg ik je toch. Ik ben naar huis gegaan toen Michael voor zijn werk op reis was." Vincie werd vuurrood, toen ze de ongelovige ogen van Nicky zag.

„O juist ... je bent weggegaan. Zo maar, bedoel je?" vroeg Nicky, ze maakte een radeloos gebaar met haar beide handen. „Je bedoelt toch hopelijk niet, dat je er zo maar vandoor bent gegaan ... zonder uitleg, zelfs zonder brief ..." en toen Vincie beduusd knikte, sloot Nicky haar ogen en zei een hele tijd niets.

„Als ik te werk ging volgens ingeving ..." zei ze tenslotte heel zacht, tussen haar tanden, „als ik te werk ging zoals ik zou willen, dan zou ik je graag een draai om je oren geven, zodat je mooie haren, die je zelf ook geen ogenblik met rust kunt laten, om je oren vliegen. Dat is geen oplossing en ik ben gewoonweg kwaad ... kwáád over de manier waarop jij omgaat met de man waarvan je houdt.

Luister eens, ik heb vroeger, voor ik met Roy getrouwd was, nogal eens ruzie met hem gemaakt, maar nooit op deze manier. Je weet helemaal niet hoe Michael zou reageren als je hem eens werkelijk toont wie je bent ... nee, jij zegt meteen: Hij begrijpt me niet, en dat slaat nergens op, je hebt hem niet eens de kans gegeven je te begrijpen, je hebt alleen maar de grote sfynx lopen spelen ..."

„Dat heb ik niet gedaan, dat was de bedoeling niet," viel Vincie haar opgewonden in de reden.

„Nee? Nou, je hebt het in ieder geval wel gedaan," zei Nicky vinnig. „Kijk eens, je hoeft die tweede wereld van je niet aan de grote klok te hangen maar je hoeft er evenmin zo geheimzinnig over te doen. Je ziet en weet soms een beetje meer dan een ander ... wat hindert dat? Het is een talent dat jij hebt, dat verschilt onderling nogal wat. De een schildert, de ander speelt toneel ..."

„Dat talent mag je dan van mij hebben," mompelde Vincie bitter, ze haalde nukkig de schouders op. „Fijn talent, waardoor je aan de lopende band miskend wordt ... waar je altijd tegen moet vechten. Ik bedoel, dat ik altijd tegen wanbegrip zou moeten vechten en dat wil ik niet."

„Jammer genoeg wordt er niet naar gevraagd, Vincie wat jij wel of niet wilt. Niemand verlangt van je dat je in een tent als waarzegster in een glazen bol gaat zitten staren ... ja, nou lach je, tegen wil en dank. Maak er niet zoiets belangrijks van en zeker niet van het feit, dat jouw Michael toevallig lijkt op Kenneth ... maar hij is Michael en daar houd je van ... waar of niet?"

„Ja ... maar ik denk, dat ik het goed voor mezelf heb verknoeid. Michael heeft niets meer van zich laten horen." Daar begon ze zowaar weer met het mishandelen van haar haren, zodat Nicky voorover dook en haar een korte tik op haar vingers gaf. Vincie keek haar verontwaardigd aan. „Ja, dat deed ik. Schei er nou eens mee uit, ik word doodnerveus van dat gehannes met je haren," beet Nicky haar toe. „Het wordt nog een tic van je als je niet oppast en charmant staat het ook niet.

Dacht jij overigens, dat Michael niet beledigd is door de manier waarop jij hem hebt behandeld? Hij kan best veel van je houden maar als je uitverkorene, zonder dat er ruzie is geweest, doodgewoon wegloopt en niets meer laat horen, dan vind ik het vanzelfsprekend dat hij die duidelijke aanwijzing, dat je hem niet moet, goed heeft begrepen en er naar handelt. Het was toch wel een erg onvolwassen optreden als ik het zeggen mag."

„Nou, dank je, daar heb jij geen moeite mee ... met de waarheid zeggen." Vincie keek haar tamelijk zuur aan. „Je bent een behoorlijk keiharde dame geworden, als ík het zeggen mag."

„Nee hoor, niet hard, alleen maar eerlijk en je moet begrijpen, Vin, ik heb vijf jaar lang niet anders kunnen doen, dan in ronde taal praten. Als er gevaar dreigt en ik ga dit eerst met allerlei omwegen aan Roy's verstand brengen, zijn we intussen ver... eh... verdronken, snap je. Nou, zoiets zal best sporen nalaten. Ik heb overigens het beste met je voor en dat weet je best, bovendien heb ik er nooit van gehouden om mee te jammeren als iemand in de knel zit. Aan dat soort medeleven heb je niets en als ik je een goede raad mag geven: Schrijf Michael of bel hem... doé in ieder geval iets in plaats van rond te lopen als Atlas met de wereld op zijn schouders..."

Ze hoorden beneden de deur opengaan en Eddy's hoge stem, hij kwam de trap opklossen, op zoek naar tante Nicky en Vincie. Vincie had zich een praatuurtje met Nicky enigszins anders voorgesteld. Nicky zou zacht en begrijpend zijn, ze was vroeger ook nogal pittig geweest, daarvan kon Roy meepraten, maar toch anders dan nu... meer bereid om kalm te luisteren en te beamen, dat het toch wel erg sneu voor Vincie was, maar dat ze het toch goed begreep... Vincie zuchtte diep. Ze stond op, en liep langs Nick heen.

„Boos... teleurgesteld?" vroeg Nick en ze lachte, haar ouderwetse grappige lach, die Vincie zich zo goed van vroeger herinnerde. „Sorry, je had het nodig en misschien heb je wel gelijk en ben ik een te grote kattekop geworden, dat mag jij ook best zeggen als je het meent."

„Ach, weet je, ik houd nog steeds veel van je... maar tenslotte zijn we vijf jaar verder allemaal en dat is nogal wat." Ze schudde Nicky liefkozend bij haar schouder. „In ieder geval bedankt. Het was tenminste klare taal waar ik wat aan heb, al kwam het een beetje hard over. Het hindert niet, Nick... evengoed bedankt."

Ze liep naar beneden en kwam in de hal haar moeder tegen, die opgelucht vaststelde dat haar dochter in ieder geval niet langer rondliep met een gezicht alsof ze voortdurend mediteerde en de rest van de wereld niet voor haar bestond. Echt onaangenaam was Vincie nooit maar ze zei alleen niet wat haar bewoog, ze was altijd zo gesloten.

Er waren blijkbaar altijd andere mensen dan haar ouders nodig om haar uit die buien van isolement te verlossen en nu was het Nicky

124

weer gelukt. Carola was er blij om, maar het deed ook pijn. Hoe goed ze het ook met Vincie bedoeld hadden, ze konden haar nooit werkelijk bereiken!

Vincie liep nog een paar dagen rond zonder veel te zeggen. Het was alsof ze voortdurend liep te dromen, dacht haar moeder ongeduldig, maar ze was vriendelijk en meegaand, dus niemand kon haar een verwijt maken. Nu, misschien miste ze Nick, daar was ze altijd bizonder aan verknocht geweest.

Vincie besloot na dagenlang erover te hebben nagedacht, tante Hazel op te bellen. Ze had haar wel een paar kaarten gestuurd maar daarbij was het gebleven.

„Kind, wat leuk, dat je belt," zei de oude dame blij. „Het was in het begin erg stil zonder jullie."

„Is ... is Michael nog terug geweest?" vroeg Vincie en ze hoorde zelf hoe schor en trillend haar stem klonk. „Werkt hij nog steeds in Devon?"

Het bleef even stil, toen zei tante Hazel zachtjes: „Michael is terug naar huis ... naar Australië. Hij ... eh ... hij schijnt moeilijkheden met de filmploeg te hebben gekregen en heeft er toen de brui aan gegeven ... ik vind het erg jammer. Vin ... hallo, ben je daar nog?"

„Ja, tante Hazel." Het kostte haar moeite de woorden eruit te wringen, ze voelde zich zo koud, zo ongelukkig en eenzaam. De wereld rondom haar was zo vreemd, het was niet meer haar eigen vertrouwde wereld. Michael was vertrokken, voorgoed vertrokken naar dat verre vaderland van hem, hij had maar al te goed begrepen wat ze had willen zeggen: Doe geen moeite, tussen ons is alles uit, het was alleen maar een vluchtige droom ... die jij alléén hebt gedroomd. Begrijp het voor ik het je zeggen moet en hij had het begrepen.

„Ik vind het zo naar, dat Michael en jij elkaar niet meer hebben ontmoet," zei de zachte stem aan de andere kant. „Het is allemaal zo akelig gegaan, het ging zo plotseling en ik heb de indruk dat jullie er geen van beiden gelukkig mee waren. Ik ben oud genoeg om dat te mogen zeggen, Vincie, je weet dat ik me gewoonlijk niet met jouw zaken bemoei, maar Michael was zo ... zo verslagen, ik had medelijden met hem. Ik dacht ... ik weet dat Michael heel erg veel van je houdt."

„Dat is dan nu wel voorbij, tante Hazel ... ik ben zo dom geweest."
Ze kon niets meer uitbrengen dan een heel zacht en hees; „Dág tante
Hazel ... tot ziens."
Carola, die in de keuken stond, zag Vincie uit de kamer komen en
naar boven lopen.
„Vin, luister eens ..." begon ze, maar ze had net zo goed tegen de
muur kunnen praten want Vincie reageerde helemaal niet, boven
ging de deur dicht.
„Hé, wat mankeert ze nou weer ..." Carola werd woedend, ze gooide
de lepel die ze in haar hand had neer en stormde naar boven, regel-
recht Vincie's kamer in.
„Zeg eens, kun je geen antwoord geven als ik je roep, het wordt met
de dag ..." begon ze furieus en toen, Vincie's bleke, ontdane gezichtje ziende, vroeg ze ongerust: „Wat heb je, Vincie ... wat is er?"
Vincie schudde haar hoofd, ze draaide zich om naar het venster.
„Hoeveel vlieguren denk je dat er tussen hier en Australië zitten?"
vroeg ze met een ijl stemmetje. „Het is zo vreselijk ver ... alsof hij
naar een andere wereld is gegaan ... Michael is terug naar huis."
„Ach, Vincie!" fluisterde Carola, ze sloeg haar armen om haar oudste
heen en opeens was er dat zeldzame, echte contact. Carola vroeg
niets, ze hield Vincie alleen maar stevig vast en ze wiegde haar, zoals
ze dat met Eddy deed als hij huilde, wanneer hij zich had bezeerd,
maar Vincie huilde niet ... ze kon niet huilen. Carola dacht aan de
wanhopige tijd toen Pierre en zij van elkaar waren en ze meer dan
een halfjaar niets van hem had gehoord. Toen was het Vincie geweest, die haar vader was gaan zoeken ... zij kon nu niets voor
Vincie doen.
„Vincie, het spijt me," fluisterde ze. „Ik wilde dat ik iets voor je kon
doen."
„Je helpt me omdat je er werkelijk bent," zei Vincie. „Je was er zo
vaak niet echt omdat je me niet kon begrijpen, nu ben je er wel ...
en dat is heel veel."
En Carola sloot die woorden voorgoed in haar hart.

HOOFDSTUK 7

Hazel Graham had na het telefoongesprek met Vincie brieven en kaarten gehad, ze had niet meer naar Michael gevraagd. Van Michaels grootmoeder kwam een lange brief aan haar zuster, van Michael zelf hoorde ze niets, tot er op een dag, zeker twee maanden later, gebeld werd. Mevrouw Graham verwachtte geen bezoek. Ze stond totaal verbluft te kijken, toen ze Michael zag staan.

„Dag tante Hazel..." Hij stapte naar binnen en sloot haar in zijn armen. „Hier ben ik dan weer. De moeilijkheden met de filmploeg zijn opgelost, daarom ben ik op het vliegtuig gestapt... en hier ben ik dan weer. Morgen reis ik naar Devon maar ik wilde eerst naar u toe... kom, zeg eens wat? Hoe vindt u het... toch wel een beetje gezellig?"

„Gezellig? Ik vind het ongelooflijk, kom gauw binnen." Ze liep voor hem uit en ze wilde meteen van alles gaan organiseren maar Michael wilde beslist niet, dat ze zich druk maakte. Hij was zeker al een uur bij haar, toen hij aarzelend vroeg: „Hoort u nog wel eens wat van Vincie?"

„Ja hoor, brieven, kaarten en telefoontjes." Ze keek hem opmerkzaam aan en glimlachte. „Wat wil je zeggen, Michael?"

Hij antwoordde niet direct, daarom ging ze vastbesloten verder: „Ik ben al zo oud, Michael, en ik geloof, dat ik nou genoeg gezwegen heb.

Toen Vincie destijds belde schrok ze heel erg... jij was zo maar vertrokken. Ja, daar schrok ze van, ze voelde zich ongelukkig, dat weet ik zeker."

„Wat kon ze anders verwachten?" Hij stond op en slenterde naar het raam, waar hij met nietsziende ogen in de verlaten straat bleef staan staren. „Ik voelde me nou ook niet zo best toen Vincie me gewoonweg aan de kant gooide, en zonder één woord van spijt er opeens niet meer was. Tante Hazel, ik was rázend, eerst was ik overdonderd ... ook erg verdrietig, en daarna werd ik verschrikkelijk kwaad... o ja, dat heeft maanden geduurd en dan gaat ook die boosheid voorbij. Ik heb intussen een ander meisje leren kennen maar het ging niet ... het was niet eerlijk tegenover dat kind. Ik dacht alleen maar aan Vincie, in gedachten zag ik alleen maar Vincie... het leek wel alsof het erger werd inplaats van beter, duizenden kilometers tussen Vincie en mij... dat sloopte me. Gelukkig kwam er ook weer schot in de onderhandelingen tussen mij en de filmploeg en zodra ik de kans schoon zag stapte ik op het vliegtuig... nou zit ik dan hier, dichterbij en boordevol vragen, die steeds weer terugkeren... maar ik kom niet verder. Misschien kunt u me helpen. Ik weet, dat u nooit iets doorvertelt van de een naar de ander, maar u zegt zelf dat u te lang hebt gezwegen. Sloeg dat op iets wat met Vincie te maken heeft? Kunt u het me dan nu vertellen, dan weet ik tenminste waartegen ik vecht. Al die maanden heb ik me afgevraagd, wat een meisje als Vincie bezielde om zo te handelen... ik kom er niet uit."

Michael keek vragend en hoopvol naar Hazel Graham, die het blijkbaar nog niet met zichzelf eens was en hij wilde haar niet storen, niet overhaasten.

„Ach... weet je," begon ze tenslotte, zorgvuldig haar woorden kiezend. „Het is niet zo spectaculair, het is alleen... vreemd. Er zit geen andere man achter, als je dat soms mocht hebben gedacht, tenzij... mijn eigen zoon."

Ze keek even naar het schilderij en leunde achterover in haar stoel, de glimlach om haar mond toonde even iets van de jonge Hazel. „Ja, daar kijk je van op en je begrijpt er niets van. Vincie is heel erg geschrokken van die sprekende gelijkenis. Ze heeft Kenneth altijd als een soort ideaal gezien... dat klinkt toch anders dan geïdealiseerd."

„Hoe kan dat nou? Ze heeft hem nooit gekend, hij was al tientallen jaren dood toen Vincie geboren werd." Michael leunde gespannen voorover in zijn stoel, zijn ogen waren strak gericht op het kalme, smalle oude gezichtje onder de krans van wit haar. „Waar wilt u eigenlijk heen, tante Hazel? Goed... ze kent dat schilderij, ze heeft de spullen van Kenneth gevonden, bij toeval... ik ken het verhaal. Dat is natuurlijk wel belangrijk voor zo'n kind, maar toch... nee, dan nog begrijp ik het niet... eerlijk gezegd, begrijp ik er steeds minder van en ik wist al zo weinig."

„Het was geen toeval, dat Vincie Kenneths doosje vond... dat heeft zich héél anders toegedragen en daardoor hadden mijn man en ik die bizonder sterke band met Vincie, die nu nog tussen haar en mij bestaat. Geen mens weet de ware toedracht, behalve de naaste familie. We wilden geen sensatieverhalen, we wilden dat Vincie rust kreeg ... maar die heeft ze eigenlijk nooit echt gevonden, ze kwam nooit helemaal klaar met de wetenschap, 'ergens ben ik toch anders.' Dat heeft haar ook onnoemelijk dwars gezeten in haar prille relatie met jou ... Dat èn die gelijkenis ... ze wist namelijk niet of het eerlijk was tegenover jou, dat die gelijkenis haar zo sterk aansprak, was ze nou verliefd op jou of op die gelijkenis ... en kon Michael, die wel op de vereerde Kenneth leek maar een heel andere, erg kritische en nuchtere persoonlijkheid was, ooit iets begrijpen van wat Vincie bewoog?

Ik weet dit omdat ze me het pas uitgebreid heeft geschreven. Het is haar fout geweest dat ze het zelfs niet geprobeerd heeft, bang als ze is bezeerd te worden door dat 'anders' zijn. Dan was het maar beter, zo dacht ze, weg te gaan voor je zoveel voor haar zou gaan betekenen dat dit niet meer kon ..."

„Wacht even, tante Hazel, voor u verder vertelt. Ik weet door uw verhalen hoe Vincie in het dorp kwam wonen en spontaan begon ook voor Kenneths graf te zorgen. Tot zo ver klopt het allemaal. Maar die kleine Vincie kon toch niet met de beeltenis van een jonge onbekende soldaat gaan ... laten we het 'dwepen' noemen. Niemand wist immers wie hij was! Later vond ze dat bewuste doosje, bracht het met haar oom en tante naar hier – toen zag ze dat grote schilderij en was daar zo van onder de indruk dat dít nou Kenneth was waarom al die opwinding was geweest en wiens graf ze verzorgd had. Was het zo?"

„Ja, maar er ontbreekt een belangrijk element aan het verhaal ... en daar gaat het nou juist om."

Mevrouw Graham zat heel stil voor zich uit te staren en draaide in gedachten de tijd terug. Het was moeilijk te beschrijven, maar terwille van Vincie's geluk wilde ze het toch proberen.

Ook Michael zat onbeweeglijk. Hij wilde zijn tante op geen enkele manier haasten want dit was voor haar een aangrijpend verhaal, dat ze nooit eerder aan een ander had toevertrouwd.

„Weet je Michael, tientallen jaren gingen voorbij. Mijn man en ik leefden voor de buitenwereld heel gewoon, rustig. We hadden elkaar en dat betekende voor ons alles, want echt gelukkig zijn we nooit meer geweest. Dat was niet in hoofdzaak omdat Kenneth in de

129

oorlog sneuvelde maar veel meer dan dat. We wisten niet hoe en waar hij gestorven was... Dan kan je er geen afstand van nemen, je kunt nooit echt berusten. Iemand die vermist wordt, leeft voort... hij kan ieder moment komen binnenstappen..."

Ze was even stil en zuchtte. „Zo gingen de jaren voorbij. Meer dan dertig jaar is ons leven zo voorbijgegaan. We hadden allebei maar één wens: ooit nog eens zekerheid over Kenneths lot te krijgen.

Dat leek een volkomen onmogelijke wens, maar toch... er werden wel eens vliegtuigen uit de Tweede Wereldoorlog blootgelegd, zoals in Holland, en dan dacht ik iedere keer weer 'misschien'... We wisten doordat Kenneth geheime diensten had verricht, ook helemaal niet hoe en waar hij verdwenen kon zijn, niemand wist het. De bemanning van het vliegtuig is omgekomen, Kenneth behoorde niet tot de bemanning en niemand kon dus nog vertellen dat ze op de een of andere manier Kenneth hadden opgepikt. Het is een samenloop van omstandigheden geweest zoals die altijd kunnen voorkomen, zeker in oorlogstijd waar alles onzeker is. Wat er met Kenneth is gebeurd, weet je, dat deel van het verhaal klopt helemaal, maar... en daar gaat het om: Vincie heeft niet toevallig dat doosje van Kenneth in het bos gevonden."

Michael dacht koortsachtig na maar kwam er niet uit. Hij schudde zijn hoofd en wreef over zijn ogen. Wat probeerde ze hem nou te vertellen... wat was er in werkelijkheid gebeurd?

„Nou... kijk, Mike." Ze aarzelde nog steeds. „Vincie vond jou zo... zo kritisch en nuchter, zo laconiek... ik weet niet of je dat echt bent, maar probeer in ieder geval dit te begrijpen: Toen, met het vinden van die rinkelbelletjes, wíst Vincie waar ze zoeken moest omdat ze het geboortekaartje en het kanten buideltje in handen had... op de een of andere manier die ze zelf niet kan verklaren, wéét ze het. Ze wist ook, dat toen alles in rep en roer was over het waarschijnlijke vergaan van de 'Sylvi' met haar oom en tante aan boord, er niets was gebeurd. Iedereen in haar omgeving nam haar kwalijk dat ze zo kalm, zo onaangedaan bleef. Dat was het begin van een conflict op haar werk, waar een mannelijke collega van haar bij betrokken was die ze erg graag mocht, maar die niéts van haar begreep.

Zo ging dat altijd. Vincie werd er zo radeloos, zo eenzaam door. Vincie wilde het allemaal niet... ze trok zich steeds meer terug en

130

zat er altijd mee, vertelde er nooit iets over. Haar ouders weten het, maar praten er niet over omdat Vincie zélf zwijgt en men denkt, dat het zo het verstandigste is ... en Vincie rust heeft. Nou, ik betwijfel of het arme kind op deze manier geestelijke rust heeft."

„Arme Vincie," zei Michael zacht. „Arme kleine meid ... ze had een héél andere begeleiding moeten hebben. Hoe was het met Kenneth?"

„Wat vind ik het onnoemelijk goéd, dat je het begrijpen kunt ... dat je haar op kunt vangen." Hazel straalde van blijdschap, het had ook verkeerd uit kunnen pakken dan zou ze er Vincie niet mee geholpen hebben. „Ik wil Vincie gelukkig zien, ze betekent zoveel voor me ... kijk, nou kan ik je ook veel rustiger dat verhaal over Kenneth vertellen. Vincie had, zoals de meeste kinderen, de neiging om ergens een 'eigen plekje' te hebben. Het liefst waarvan niemand wist. Sommige kinderen bouwen een tent van een oud laken, de ander keert de box uit zijn baby-tijd om en hangt er een lap over: Een eigen huisje, een hutje om je behaaglijk te voelen ...

Vincie kroop op een dag in haar eentje tussen de struiken en vond een soort ... kamertje, zo kun je het 't beste noemen. Het was zo goed als onbereikbaar, niet te vinden ... tenzij je er toevallig in terecht kwam ... zoals Kenneth destijds in doodsnood.

Hij werd gezocht, kroop tussen de struiken en hem gebeurde hetzelfde wat Vincie tientallen jaren later gebeurde. We laten in het midden of het toeval was dat Vincie er in terecht kwam.

Vincie zat daar en besloot dat ze van dit geheime plekje lekker niets zou zeggen, ook niet tegen haar beste vriendin. Ze zat daar maar zo'n beetje te fantaseren en te dromen ... Ze schrok eigenlijk niet zo erg, vertelde ze mij later, toen ze opeens een jongeman zag staan ...

Hij moet op haar een jonge indruk hebben gemaakt, want ze noemde hem later steeds 'de jongen' ... Wat ze niet begreep was dat hij net zo plotseling weer was verdwenen ... Ze heeft hem meermalen gezien.

Tja, jammer genoeg had ze zich toch tegen het vriendinnetje iets over 'een vriend' laten ontvallen. Alleen dàt, maar die arme meid heeft het geweten hoor.

Haar oom, destijds verantwoordelijk voor het kind dat bij hem in huis woonde, verdacht Vincie van 'geheime samenkomsten' met iemand 'die een uniform droeg'. Zijn huidige echtgenote Nicky begreep méér en heeft Vincie toen fantastisch begeleid. Jammer dat ze kort daarna met haar man op wereldreis is gegaan en jarenlang weggebleven is.

Nicky heeft ook begrepen dat Vincie niet voor niets die jongen daar zag ... en zó hebben ze het doosje gevonden.

Er is wel bekend gemaakt dat Vincie al spelende in het bos gevonden had waar het hele dorp jarenlang naar had gezocht, maar nooit de ware geschiedenis.

Nicky en Roy kwamen met Vincie mee, toen ze het doosje kwam brengen.

Ik kende ze natuurlijk niet, ik wist alleen dat een paar Hollandse mensen op bezoek zouden komen. We begrepen niet waarom. Ja, en toen ... gebeurde er iets waardoor voor ons meteen alle nonsens en bedrog werd uitgesloten. Vincie liep de zitkamer binnen, je weet wel, dat je dan meteen tegenover de wand staat waar het schilderij dat we hadden laten maken, hangt. Vincie kwam heel bedeesd de kamer binnen, aan de hand van Nicky. Opeens rukte ze zich los, haar ogen werden héél groot en stralend en ze wees op het schilderij en ze riep: 'Maar dat is Kenneth'!

Het was de jongen die ze gezien had in haar geheime boskamer waar tientallen jaren eerder Kenneth zijn laatste uren heeft doorgebracht ... Zó is dat werkelijk gegaan, daarom is er zo'n innige band tussen mij, oude vrouw, en dat heel jonge meisje. Maar ik geloof dat Vincie het nooit helemaal heeft verwerkt. Toen ze goed begreep, dat ze iemand gezien had, hoe dan ook, die niet meer leefde, was ze niet bang ... nee, dáár was ze niet bang voor maar wel omdat het háár overkwam, ze wilde er eigenlijk nooit over praten en wil dat nog steeds niet ... en dan gebeurt er weer wat, zoals met dat kanten buideltje en het rinkelbelletje.

Ze heeft het er niet gemakkelijk mee, dat weet ik zeker. Ik heb er geen spijt van, dat ik het jou heb toevertrouwd, al weet ik niet of ik er goed aan heb gedaan, maar ik hoop zo vurig dat er toch iemand bestaat, jij bijvoorbeeld, voor háár."

Michael stond op, hij boog zich over de oude vrouw heen en kuste haar. „Tante Hazel, als u niets verteld had, zou ik Vincie kwijt zijn geweest, ik zou haar nooit meer hebben ontmoet ... wat ben ik zielsblij, dat u niet gezwegen hebt!"

„Dus je wilt haar terugzien?" vroeg Hazel Graham dringend.

„Wat heet, 'je wílt haar terugzien'... ik moét haar terugzien, en wel zo gauw mogelijk! Roep haar terug, tante Hazel... als u haar roept, komt ze, maar zeg nog niet dat ik hier ben. Ik zou natuurlijk naar haar toe kunnen gaan, maar dat wil ik liever later doen... als alles goed gaat. Nu weet niemand van haar familie wie ik ben, de sfeer blijft dan toch meer gespannen. Nee, ik wil Vincie hiér halen. Toe, doet u dat voor mij... en laat haar heel gauw komen."

Hazel strekte haar hand uit naar de telefoon, die naast haar op een tafeltje stond en draaide het bekende nummer.

„Met Vincie Lieversen..." Een mat, zacht stemmetje, dat opeens hel en blij uitschoot: „O, tante Hazel... wat leuk, dat u belt. Is alles goed met u?"

Tante Hazel verzon snel een griepje, dat aan het afnemen was.

„Ik ben nog wel erg slap... wat zou ik het héérlijk vinden, Vincie, als je een weekje kwam, je krijgt de reis van mij kado. Hoe vlug kun je komen?"

„O ja... nu, ik kan wel komen. Dat doe ik altijd graag. Ik zal het wel even met mama en papa bespreken... maar als u me nodig hebt, kom ik altijd en heel snel. Het is toch écht wel goed met u, hè? Ik maak me altijd direct ongerust, want u bent helemaal niet zo dat u gauw om hulp belt. Deed u dat maar wel. Enfin, ik bespreek het en ik kom, hoe dan ook. Tot morgen, tante Hazel."

Ze belde af, draaide zich om en keek in drie verwonderde gezichten. Shireen was er ook, erg druk en erg gelukkig, omdat het met de 'Ticker Tapes' een succes beloofde te worden.

„Voor je het weet heb ik een beroemde vriendin en moet ik om een handtekening vragen of ze is niet bereikbaar meer voor me," had Vincie plagend gezegd.

Shireen was bezig kwaad te worden over deze opmerking toen de telefoon ging.

„Ga je alweer weg?" vroeg Carola. „En die sollicitatie dan die je hebt lopen? Zou je daar maar eens niet op wachten?"

„Waarom? Ik heb geschreven en niets gehoord, waar moet ik dan op gaan zitten wachten?" vroeg Vincie schouderophalend. „Tante Hazel is ziek geweest en ik wil gaan kijken hoe ze het maakt."

„Dat wordt ook een vrij kostbare toestand." Carola gaf het nog niet op, hoewel ze wist dat ze voor niets onaangenaamheden maakte. Vincie zou immers toch gaan.
„Tante Hazel betaalt de reis deze keer, dus maak je niet ongerust over de kosten." Haar stem klonk zo kribbig, dat Pierre, die de bui zag hangen haastig tussenbeide kwam.
„Leer toch eens, Carool, Vincie vrij te laten? Ze maakt er geen misbruik van en ik vind het niet nodig dat ze van iedere stap verantwoording aflegt, ze is volwassen. Je kon haar ook niet zo op de vingers kijken als ze op kamers woonde, zoals Shireen."
Carola hield met moeite de vinnige opmerking 'Nou die maakt er dan ook een mooie troep van' binnen. Het zou ook geen juiste opmerking zijn geweest want Shireen was wel vrijgevochten maar de troep had erger kunnen zijn.
Shireen dronk niet teveel en ze bleef van drugs af. Shireen nam alles niet zo zwaar maar ze had genoeg verstand om nooit de grens te overschrijden. Dus leefde ze haar vrolijke, onbekommerde leventje, lachte om alles en met haar grote portie zelfspot en humor redde ze zich uit de gekste situaties. Zo had ze Vincie eens verteld van een feestje dat danig uit de hand was gelopen en waar de drank bij stromen had gevloeid.
„Ik ben ook niet zonder glas in m'n hand geweest... geen minuut," had ze gezegd, „maar als de bloemen aan een tamelijk verlepte plant vandaag staan te zwiepen op hun stengel, weet ik waardoor dat komt. Zo te zien was het trouwens het enige vocht, dat die arme plant ooit krijgt.
Cheers en hupsakee... de anderen zagen het tóch niet meer."
Volgens Vincie zou Shireen het best redden als zangeres van een groep en ze zou nog overeind blijven ook, het zou Shireen nooit werkelijk veranderen. Ze zou misschien in een dolle bui in staat zijn om kapitalen uit te geven aan kleren en allerlei dingen die ze niet nodig had maar ze zou nooit kopje onder gaan. Shireen kwam ook altijd 'even binnenwaaien' en zette dan meestal Carola tegen zich op. Ze deed het met opzet en had pret als het weer eens lukte.
„Ik ga weer eens, hoor... de repetities wachten!" Shireen wuifde, wankelde heupwiegend op goudkleurige schoentjes met abnormale hakken naar de deur. Ze droeg een knalrode broek, waarvan zelfs

134

Vincie zich afvroeg hoe ze er in en uit kwam, daarboven een witte wijde blouse en zo'n dozijn kleurige kettingen in alle lengten.

„Net een kleurige paradijsvogel," mompelde Pierre waarderend. „De kamer is leeg als dat kind verdwijnt."

Vincie liep met haar vriendin naar de deur. Ze mocht Shireen nog altijd graag en ze namen elkaar nu eenmaal altijd zoals ze waren, zonder wederzijdse kritiek tenminste meestal.

„Nou dag ... goede reis ..." Shireen aarzelde nog even, de brede lach gleed weg van haar gezichtje. „Denk jij, dat het wat wordt met die loopbaan van me. Het is gek, maar ik geloof jou, dat heb ik altijd gedaan en ik blijf levenslang je vriendin ... dát wilde ik alleen maar even zeggen."

„Ik denk er ook zo over en ... Shireen, ik zou maar doorgaan met die loopbaan van je, ik denk dat je wel succes zult krijgen als je maar volhoudt." Ze wuifde Shireen na en sloot de deur, waar ze tegenaan bleef staan met gesloten ogen.

Ellendig, als je alles voor anderen zo goed wist, maar nooit voor jezelf, dacht ze cynisch. Nou, misschien is dat maar gelukkig.

Wat zal ik het deze keer eenzaam vinden bij tante Hazel ... wat zal ik heimwee hebben naar Michael. Als het nu wel goed was geworden tussen Michael en mij, dacht ze, wat zou ik dan veel achter hebben moeten laten. Alles. Naar een ver, vreemd land ... en iedereen die je liefhebt, blijft achter. Je zou daar niemand hebben, alleen Michael. Zou ik er dat voor over hebben gehad? Het is veel, maar niet teveel, dat weet ik nu het te laat is. Als ik wel naar Australië was gegaan, zou ik niet mijn belofte aan tante Hazel hebben kunnen houden om zolang ik leef voor Kenneths graf te zorgen.

Wat een vreemde gedachte ... dan zou ik het aan Nicky hebben gevraagd, maar die is er ook niet altijd, ze kunnen vandaag of morgen wel weer gaan reizen ... Ja zo gaat dat soms met een belofte. Je kunt niet alles tevoren weten, zelf ik niet ... gelukkig maar, dacht Vincie en bovendien, waar maakte ze zich druk over? Ze had Michael voorgoed van zich vervreemd, er viel dus niets meer te kiezen.

Toen Vincie de volgende morgen wegging vroeg Carola onverwachts: „Vind je het gezellig als ik je wegbreng? Ed is toch bij Nicky en ik heb tijd om te doen wat ik wil ... maar alleen als je het leuk vindt, hoor."

„Natuurlijk vind ik het leuk..." Vincie sloeg haar arm om Carola's schouders. „Mam, je moet niet doen alsof ik... alsof je nooit zeker van me bent. Ik ben niet zo'n drukke, ik ben niet zoals Shireen... maar ik ben gek op jullie, dat weet je best."

Ze reden naar Schiphol en Carola zei nog eens heel tevreden: „Hè, wat gezellig. Ik wilde, dat we nou samen op weg waren naar de stad om te winkelen en dan ergens koffiedrinken... dat doen we te weinig."

„Jij hebt ook niet altijd uurtjes over maar ik beloof je, als ik terug ben gaan we uitgebreid samen 'stadten' met alles erop en eraan." Vincie lachte vertederd omdat Carola zo enthousiast toestemde.

„Soms kan ik me niet voorstellen, dat jij dezelfde bent als het kind, dat voortdurend de boel op stelten zette in het dorp," overpeinsde Carola. „Je zei: 'ik ben niet zo'n drukke' jij bent veranderd, Shireen niet, die is nog net zo druk, chaotisch eigenlijk maar wel heel lief."

„Ik was aan de buitenkant druk, maar van binnen niet. Je weet nog wel, hoe alles begonnen is... doordat ik in mijn eentje wegkroop in het bos, zelfs Shireen wist het niet. Het heeft toen allemaal zoveel indruk gemaakt, dat ik er nooit helemaal vanaf ben gekomen maar toch was het een positief gebeuren, het bracht veel goeds.

Het is ook nooit uit de hand gelopen, misschien omdat jullie zo verstandig zijn geweest me af te schermen, te zorgen dat het geen goedkope roddelrubriek kon worden... ja, daar ben ik toch wel blij om. Mama, af en toe kijk je alsof je denkt: Wat heb ik nou verkeerd gedaan, of vergis ik me en denk je dat nooit? Ik weet eigenlijk niet, waarom ik dat nou opeens zeg. Er is altijd zo weinig tijd en praten moet spontaan komen."

„Dat heb ik dikwijls gedacht," gaf Carola toe. „Ik weet maar al te goed dat ik je vroeger een idiote opvoeding heb gegeven. Je wist niet meer wat je wel of niet mocht. Roy werd er gek van, gelukkig dat Oma altijd rustig bleef.

Ik maak me nu nog verwijten dat papa en ik maandenlang op reis waren toen jij ons nodig had. Wij lijmden ons huwelijk, maar ik vraag me af of het niet ten koste van jou is gegaan.

Toen wij terugkwamen was die geschiedenis van Kenneth voorbij, Nicky en Roy vertrokken en al gauw kwam Eddy, die veel tijd in beslag nam en jij werd opeens uit het dorp in de stad geplaatst. Je

136

miste Shireen, je miste Roy, Nicky en oma ... Je moet je verschrikkelijk eenzaam hebben gevoeld. Maar je was stil, gemakkelijk - zó
heel anders dan die drukke Vincie uit het dorp.
Je uitte je nooit tegenover ons. Als wij wilden praten met je, en
vooral papa met zijn eindeloze geduld, keken die grote blauwe kij-
kers ons aan en zei je: 'Heus, er is niets, helemaal niets. Alles is in
orde'. Je was op een weg die wij niet konden volgen en uiteindelijk
zwegen we erover. We hebben het altijd goed met je gemeend, Vin
... en ik weet eigenlijk niet waarom ik je dit allemaal zo nodig moet
vertellen. Het gaat eigenlijk buiten mezelf om."
„Ik heb nooit aan jullie liefde voor mij getwijfeld hoor," zei Vincie,
slecht op haar gemak. „Waar maak je je zorgen over, mama? Er is
toch niets waarover je je behoeft te verontschudigen? Ik hou van
jullie en andersom, maar dat houdt niet in dat je niet wederzijds
enorme fouten kunt maken. Ik ben nooit echt opstandig geweest,
zoals zoveel jongelui op een gegeven ogenblik zijn.
Was ik dat wel geweest, dan was het voor jullie gemakkelijker geweest. Het gewone patroon dan, hè? Maar ik weet nu wel dat ik voor
jullie onbereikbaar was. Ik liet niemand toe, ook jullie niet. Daar
moet je niet om tobben, mama, want ik kon niet eens mezelf bereiken."
Ze lachte even om die woorden.
„Ja, het klinkt vreemd, maar ik kan die andere Vincie in dat vreemde
wereldje niet bereiken. Ik wil het eigenlijk ook niet, ik wou dat ze
daar niet was, als je begrijpt wat ik bedoel. Ik geloof dat ik altijd bang
was dat als ik te veel zei, jullie me misschien naar allerlei figuren
hadden willen slepen ... Psychologen, psychiaters en andere lui die
verstand hebben van paranormaal begaafden. Maar daar had ik extra
angst voor, daar was ik echt bang voor. Dat wilde ik niet, dat gewroet
en gegraaf in mijn binnenste, in mijn zieleleven."
„Dat zouden we nooit hebben gedaan. Maar je zou toch met ons
hebben kunnen praten ... met papa, bijvoorbeeld," vroeg Carola
zachtjes. „Ik zei al, wat moet je eenzaam zijn geweest. Waarom heb
je toch nooit iets gezegd?"
Vincie haalde de schouders op. „Ach, mama, wat helpt al dat gepráát
... al die veronderstellingen, de pogingen het te begrijpen. Het is
zonder meer zo ... ik ben ermee geboren en wat het dan ook is, het

137

hoort nou eenmaal bij mij en ik word er doodmoe van en nerveus als ik ook maar iéts moet gaan proberen uit te leggen, dat kan ik niet en ik wil het ook niet... zo is dat. Ik wil gewoon met rust gelaten worden, niet meer en niet minder, en daarom ben ik jullie allemaal nog dankbaar, omdat iedereen in de familie destijds nooit één woord heeft losgelaten over de werkelijke geschiedenis achter het vinden van Kenneths bezittingen. Ik moet er niet aan denken hoe doodongelukkig ik me zou hebben gevoeld als dat wel was gebeurd en dat is enorm positief, mama... dat stuk bescherming, die muur, die jullie met z'n allen hebben opgetrokken."

Ze draaiden de oprit naar Schiphol op en het gesprek was voorbij, maar ze waren toch allebei wel gelukkig met wat er over en weer was gezegd.

Bij het afscheid kuste Carola haar dochter hartelijk en niet zo vluchtig als dit gewoonlijk ging bij aankomst en weggaan naar Engeland. „Dag schat, tot ziens en groet tante Hazel heel hartelijk van me." „Ja, hoor..." Vincie gaf haar moeder op iedere wang een stevige zoen. Ze wachtte even en haar ogen glansden ondeugend, het was heel even de oude, capricieuze Vincie. „Tot ziens, lieve Krooltje." Zo had ze als kind haar moeder spottend en liefkozend genoemd, een malle verbastering van 'Carola'.

„Dag... malle meid!" Carola straalde. Dat ene, lang geleden voor het laatst gebruikte woordje, zei meer dan een lang gesprek.

Ze wuifde Vincie nog even na, ging dan, in gedachten verzonken maar gelukkiger dan ze zich in maanden had gevoeld, terug naar huis.

De laatste maanden met een volkomen in zichzelfgekeerde Vincie waren meer dan moeilijk geweest. Carola had ze als slopend ondervonden.

Wat Vincie dan ook voor probleem mocht hebben, ze hoopte dat er bij tante Hazel een oplossing zou komen, hoewel ze dat niet zag. Carola vermoedde, dat het in verband stond met de 'Michael', die bij Hazel had gelogeerd toen Vincie er ook was. Carola was eigenlijk niets te weten gekomen en ze had gedacht, dat Michael de oorzaak was van Vincie's opvallende verandering, omdat ze eens, heel gewoon had gevraagd: 'Wie was die Michael nou eigenlijk? Je vertelt niets over hem. Was hij aardig of vervelend? Had je er een beetje

138

gezelligheid aan dat hij er ook was of vond je dat niet prettig? Je moet jou ieder woord uit de mond trekken. Zag hij er leuk uit? Gunst kind, vertel toch eens iets... dat is toch normaal.'

Vincie had niets geantwoord, ze had zich omgekeerd en was de deur uitgelopen. Het gebaar was zo veelzeggend geweest, dat Carola er liever niet meer op was teruggekomen, totdat Vincie had gehoord dat Michael terug was gegaan naar Australië en zij eindelijk Vincie's verdriet had leren kennen.

Vincie voelde zich altijd alsof ze thuiskwam, zodra ze de meeuwen over Eastbourne zag scheren en hun kreten hoorde.

De mooie boulevard en de rustige zijweg, waar tante Hazel woonde ... het was haar zo vertrouwd als haar eigen huis. Tante Hazel had blijkbaar op wacht gezeten, want Vincie hoefde nauwelijks te wachten voor er werd opengedaan.

„Tante Hazel, wat bent u vlug!" Vincie sloot haar stevig in de armen. „U ziet er prima uit... als dát een grieppatiënte is. Zeg eens, ondeugend mens, was het soms een smoesje om me hier te krijgen?"

„Ja, dat is niet moeilijk te raden, hè?" Tante Hazel straalde, ze duwde Vincie naar de kamerdeur. „Ik heb bezoek, kind... maar dat zal geen bezwaar zijn."

Vincie stapte aarzelend naar binnen en zag iemand, die ze nooit meer verwacht had te zullen zien.

„Michael..." ze werd eerst bleek en daarna vuurrood, ze trilde zo, dat ze nauwelijks op haar benen kon blijven staan. „Michael, ik dacht... tante Hazel zei dat je was teruggegaan naar huis..."

Ze zweeg hulpeloos en Michael stond haar heel intens aan te kijken, met zo'n stille blijdschap in zijn ogen dat het, ondanks haar verwarring, toch wel tot haar doordrong: Michael was blij, dat hij haar zag ... hoe kon hij, na wat ze hem had aangedaan.

„Vincie, ik ben ook naar huis geweest, maar sinds kort werk ik weer hier, met de filmploeg." Hij liep op haar toe en nam haar handen in de zijne. „Ben je ook een beetje blij, dat ik er ben... of vind je dat niet prettig? Zeg het eens... zég het."

„Ik ben blij... ja," gaf ze toe. „Ik had nooit, ik dacht, dat ik je nooit meer zou terugzien en je zou gelijk gehad hebben als je mij nooit meer had willen ontmoeten. Ik heb... ik ben gewoonweg on-

139

beschoft geweest, ik had er nooit vandoor mogen gaan zonder jou iets te laten weten, maar het is nou eenmaal gebeurd... Ik heb er wel veel spijt van gehad, dat moést ik je zeggen."

Ze struikelde over haar woorden en ze was zo nerveus, dat Michael medelijden met haar had maar toch maakte hij het haar niet te gemakkelijk.

Ze moest eindelijk eens leren zich te uiten, ze moest niet altijd van het standpunt uitgaan, dat ze toch wel begrepen werd en dat spijt ook betuigd kan worden door een berouwvolle oogopslag en een half ingeslikte verontschuldiging... dus liet hij haar rustig aanmodderen met haar moeizame zoeken naar woorden, die hem duidelijk moesten maken hoe ze van haar schuld overtuigd was.

„Nu, dat heb je dan gezegd..." Hij liet haar handen los en deed een stap terug. Vincie liet zich in de eerste stoel neervallen, die ze tegenkwam. Ze wist niet of ze wilde lachen of huilen.

De ongelooflijk grote vreugde toen ze Michael onverwachts voor zich zag staan werd overschaduwd, door de koele wijze, waarop hij haar excuses had aangehoord, terwijl ze een paar minuten eerder had gedacht dat hij ook blij was haar te zien. Wat had ze dan verwacht? Ze wist het niet maar ze voelde zich zo verward dat ze helemaal niet wist wat ze moest zeggen. Ze durfde nauwelijks naar Michael te kijken.

Zei hij nou in vredesnaam maar iets... hij bleef daar maar staan en waarschijnlijk verwachtte hij van haar, dat ze uitleg zou geven over haar wonderlijke gedrag van enkele maanden geleden. Maar dat kon ze niet, zeker niet zo onverwachts en zo dreigde de situatie haar boven het hoofd te groeien.

Tante Hazel kwam binnen en ze was Vincie nog nooit zo welkom geweest.

„Kan ik u helpen?" Ze vloog overeind, sleepte in de haast de stoel mee, die door Michael nog net van een val gered kon worden.

„O...oh...oh..." stotterde Vincie, met tranen in haar ogen, ze voelde zich zo doodongelukkig, dat ze het liefst in de grond gezonken was. Ze voelde zich onhandig en ronduit onnozel. Dit was dan Michael, die nog niet zo lang geleden had beweerd, dat hij zoveel van haar hield. Nu, hij had zich dan blijkbaar vergist of zijn trots was destijds zo diep gekwetst geworden, dat zijn gevoelens voor haar de

140

klap niet hadden overleefd.

Tante Hazel schonk thee en praatte gezellig, ofschoon haar gasten nu niet bepaald druk antwoordden en alleen de schijn ophielden. Tante Hazel bleek het niet te merken, althans die indruk maakte ze.

„Ik kan nog prima toneelspelen op m'n oude dag," dacht tante Hazel vrolijk. „En Vincie, ik ken haar zó goed, wordt langzamerhand kwaad. Ik hoop, dat ze niet uitvalt vóór we gezellig thee hebben gedronken. Nou ja ... gezéllig is het woord niet. Moed houden maar, Hazel, dat heb je je hele lange leven gedaan."

„Heb je een goede reis gehad?" informeerde Michael beleefd, hij nam zijn kopje thee van Hazel aan en beloonde haar met een vriendelijke lach.

„Ja, waarom zou ik niet?" De blauwe ogen schoten vuur in Michaels richting. „In ieder geval bedankt voor de belangstelling."

„Je bent boos," constateerde Michael geamuseerd. „Waarom eigenlijk?"

„Als je dat niet snapt, zal ik het je niet bijbrengen," beet Vincie hem verachtelijk toe. „Je zit daar superieur te kijken en neerbuigend vragen te stellen ... en dat hoéft voor mij niet. Als je niet gewoon tegen me kunt praten, dan geef ik je geen antwoord."

„Nou, luister eens ..." begon Michael.

„Willen jullie nog thee?" interrumpeerde tante Hazel liefjes, ze keken haar tegelijk aan en schoten gezamenlijk in de lach.

„Graag, tante Hazel," zei Michael en op vriendschappelijke toon tegen Vincie: „Ga je straks mee een eindje rijden? We kunnen moeilijk zo strijd blijven voeren met tante Hazel als scheidsrechter met een kop thee op de gevaarlijke ogenblikken."

Tante Hazel keek hen na.

Vincie stapte in Michaels wagen en omdat ze toch iets moest zeggen, merkte ze koeltjes op: „Heb je weer een andere wagen gehuurd? Deze is mooier."

Ze drukte nieuwsgierig op een knopje aan de zijkant van de stoel, die zich meteen als een schietstoel ging gedragen en met een klap schoot de leuning naar beneden, Vincie in de vaart meesleurend. Ze zei enige onwelvoeglijke woorden in het Hollands.

Michael grijnsde onbarmhartig en vroeg tot overmaat van ramp, of ze vertalen wilde wat ze zei, waarop Vincie, met vuursproeiende ogen, in het Engels vloekte, niet meer en niet minder. Michael brulde van het lachen. Vincie morrelde aan de knop en schoot op dezelfde manier rechtop.

„Blijf er nou verder maar af," ried Michael, hij begon opnieuw te lachen.

„Ja, bedankt voor de tip," mompelde ze zuurzoet. „Wat is dit voor een idiote toestand?"

„Heel gewoon, maar jij moet niet aan knoppen draaien of wringen, als je niet tevoren weet, wat er moet gebeuren. O, Vin . . . alsjeblieft, waar is je gevoel voor humor."

Hij legde zijn arm om haar schouder en duwde haar gezicht omhoog, tot ze tegen wil en dank lachte.

Ze hoefde niet eens te vragen, waar hij heen reed, dat was natuurlijk Pevensy Bay. Hij zette de wagen in de straat die aan het strand grensde.

„Zouden onze keien er nog liggen?" vroeg Vincie opeens. „Dat zal wel zo zijn, maar niet meer bereikbaar. Ik zoek geen nieuwe want ik vergeet ze toch weer mee te nemen."

Het strand was nog nooit zo verlaten geweest, het weer was ook vrij grimmig.

„Echt al herfst . . ." Vincie volgde met de ogen een zeemeeuw die een schitterende duikvlucht uitvoerde.

„Vincie . . . weet je nog, dat je hier eens zo'n schitterend roze steentje hebt opgeraapt?" vroeg Michael.

„Ja . . ." Ze keek even naar hem, keerde haar hoofd dan weer af. „Ja, dat zal nog wel in het zakje van mijn jasje zitten, ik heb er niet meer aan gedacht. Ik zal het er toch eens uithalen."

„Dat zal je dan niet lukken, want het is er allang uit . . . wat denk je hiervan?" Hij nam haar hand en liet er iets inglijden. „Je jasje hing destijds altijd in de gang, dus het was niet zo moeilijk om het steentje te stelen."

„Wat mooi," zei ze stil, ze hield het steentje in de kom van haar hand, de onregelmatige vorm was in goud gevat en hing aan een bizonder mooi gouden kettinkje. Michael nam het sieraad uit haar hand en hing het om haar hals.

„Ben je er blij mee?" vroeg hij.

„Ik weet niet wat ik zeggen moet . . . dat overkomt mij nogal dikwijls,

142

maar o, Michael..." Hij trok haar tegen zich aan en met een grappig soort ruwe tederheid streek hij door het verwarde goudbruine haar. „Wat nou 'o... Michael', en waarom moet je je gezicht nou verstoppen tegen die ouwe jas van me? Kijk me nou eens aan en zeg dan: Ik bén blij, Michael," bromde hij.

„Ik ben blij, Michael maar je weet niet..." Ze duwde hem zachtjes weg, zodat ze naar hem op kon kijken. „Ik ben zielsblij, dat ik je weer heb ontmoet... het was zo onverwachts... het heerlijkste wat me kon overkomen! Daarom deed ik zo dom, maar..."

„Wat nou 'maar', informeerde Michael. „Wat ik toen gezegd heb, geldt natuurlijk nog. Ik houd van je, ook al ben je er destijds zo weinig elegant vandoor gegaan. Dat was een klap, Vin, dat mag je gerust weten... Ik had je inderdaad nooit meer willen ontmoeten, het was geen wonder dat ik ruzie kreeg met de filmploeg. Ik had wel gelijk, maar in plaats van het diplomatiek op te lossen, ging ik tekeer als een stier in een porseleinwinkel, het werd een complete rel en die liep zo hoog op, dat ik naar huis ben gegaan. Kijk, die ruzie had niet zo hoog behoeven op te lopen, maar ik was ongenietbaar om wat jij had gedaan. Zie je, zoiets is meestal een in elkaar grijpende keten van gebeurtenissen."

„Ja ja, dat is zo... dat is bij mij ook het geval, alleen... het is natuurlijk een heel ander verhaal." Ze zweeg opnieuw, het was zo verschrikkelijk moeilijk erover te praten. Als Michael het niet begreep, dan was het voorgoed voorbij en dan was er geen weg terug. Kon ze er maar voorgoed over zwijgen.

Ze zaten nu naast elkaar op de oude houten beschoeiïng.

„Is het zo moeilijk?" vroeg Michael zacht, hij trok haar wat dichter naar zich toe. „Misschien kan ik je helpen, mag ik?"

„Dat kan gewoonweg niet." Ze zat daar maar stilletjes naar de zee te staren, ze voelde de kou niet, de wolken werden grauw en de wind werd sterker. „Ik moet er zélf doorheen en misschien zeg je dan... jou begrijp ik niet... ik zal je nóóit begrijpen en dat zal pijn doen ... daarom ben ik weggelopen."

„Laat me het dan toch maar proberen. Luister, prinses op de erwt... ik heb laatst een héél erg mooi verhaal gehoord, dat me diep heeft getroffen... mag ik het jou vertellen?"

Vincie knikte maar ze begreep er niets van, wat had ze aan een

143

verhaal, dat over een ander ging?

„Nou dan ... er was eens een klein meisje, een vrolijk, ondeugend en openhartig ding, dat af en toe met haar donkerkleurige vriendinnetje het dorp waar ze tijdelijk woonde op stelten zette ... en op het kleine dorpskerkhof was één graf, door alle mensen in het dorp trouw verzorgd, dat het meisje zo boeide, dat zij er altijd bloemen bracht..."
Michael voelde Vincie verstrakken maar ze zei niets, bewoog amper. „Maar dat meisje had wel eens behoefte aan alléén zijn ... ze kroop heel diep het bos in, daar droomde ze. Maar op een dag was het geen droom meer, geen gewone droom ... zij zag, wat geen ander kon zien, ze zag de jongen, die daar zijn laatste levensuren had doorgebracht, ze zag hem zo duidelijk dat ze in het begin heeft gedacht, dat hij er werkelijk was ... en zo vond dat kleine meisje, met hulp van haar oom en zijn verloofde de spulletjes van Kenneth. Het had allemaal een bedoeling gehad.

Wat weten wij? Niets, heel weinig ... maar in ieder geval had Kenneth de tijd overbrugd, waar hij dan ook zijn mag.

Hij wilde dat zijn ouders zijn nalatenschap kregen en Vincie werd het werktuig ... Je ziet, Vincie, ik ken het verhaal van a tot z. Tante Hazel vertelde het me en ze deed het niet graag, ze kon alleen niet langer aanzien, dat de twee mensen waarvan ze zoveel houdt, elkaar voorgoed zouden moeten missen ... Want we zouden elkaar nooit meer toevallig ontmoet hebben, daarvoor is de afstand te groot ... Daarom vertelde ze me alles. Ook, dat je het eigenlijk nooit hebt willen aanvaarden, als iets dat nu eenmaal bij je hoort.

Je bent steeds verder in een cocon teruggekropen, maar ik zal nooit goedvinden, dat je blijft wegkruipen, Vincie ... er is niets met je aan de hand, ook al kan je af en toe wat verder kijken dan de doorsnee mens.

Jouw grenzen zijn gelukkig óók beperkt ... je hoeft het niet aan de grote klok te hangen, dat hebben ze destijds heel verstandig ook niet gedaan, maar je hoeft er evenmin geheimzinnig over te doen alsof je een misdaad hebt te verbergen ... Ieder talent, dat de ene mens heeft is voor de ander ongewoon.

Nu, dit is hetzelfde als ieder ander talent, je hebt het kado gekregen en je kunt je talenten goed gebruiken, je hoeft er geen angst voor te hebben en je kunt jezelf zijn. Waarom ook niet? Als je die andere

Vincie maar wilt aanvaarden, ze hoort bij jou... dus wees lief voor haar."

„O, Michael, dat is de langste speech die ik je ooit heb horen afsteken, maar ongelooflijk, wat fantastisch, dat je er wél begrip voor kunt opbrengen, dat je... dat je nuchter kunt zijn zonder hard of ongelovig te zijn.

Ik kon er ook nooit over praten... Ja, misschien had het wel mogelijk geweest. Ze vroegen altijd: Vincie wat is er, laat je helpen, maar ik kon het begin niet vinden... ik kon niet praten, er was altijd die angst niet begrepen te worden, belachelijk of hysterisch te lijken in de ogen van anderen. Ik wilde niet anders dan gewoon zijn, het was een last die ik moest meeslepen, zie je... en dan was er nog iets: Kenneth." Ze aarzelde, en wist niet, hoe ze ook nog voor de dag moest komen met de bekentenis, dat er nog een reden bestond voor haar vlucht.

„Toen ik klein was en Kenneth zag, later begreep ik toch wel een beetje wie ik zag, op een vage, niet nader te omschrijven manier wist ik het, en vond ik Kenneth zo de moeite waard. Toen ik nog dacht dat hij daar echt stond, dacht ik Gôh, wat ziet hij er leuk uit. Ik herkende hem ook direct op dat schilderij, maar dat verhaal ken je. Het is gek om te dwepen, nee, dwepen is het toch eigenlijk niet - bewondering te hebben voor iemand die wel ooit heeft bestaan... ach, ik kan er ook niet meer uit komen..."

„Mijn gecompliceerd meisje, waarom zou je in vredesnaam geen bewondering mogen hebben voor Kenneth, hij heeft héél wat gepresteerd in zijn korte leven. Hij was een fijne vent, hij was moedig, tot het laatst... Wat er gebeurd is in het dorp... dat verhaal, dat graf, dat door iedereen wordt onderhouden... Het moest allemaal wel grote indruk maken op zo'n ontvankelijk kind als jij was. Sommige mensen zijn nu eenmaal paranormaal begaafd, daardoor en door wat je over hem wist, kwam die band tot stand... dat kon je toch ook niet onverschillig laten.

Jij ging je meteen weer verbeelden dat je niet van mij hield, maar van Kenneths evenbeeld. Nou, vergeet dat dan maar gauw... ik denk trouwens, dat je intussen wel beter weet, of niet soms? Dit is ook niet zo onaards." Na al het gepraat trok hij Vincie dicht tegen zich aan en temidden van de tot storm gegroeide wind, kuste hij Vincie tot

145

ze om genade smeekte.

„Mag ik nog iets zeggen..." vroeg ze, ze probeerde het voor haar gezicht waaiende haar terug te duwen maar de wind greep speels toe. „Ik hou van je, Michael, ik heb me nog nooit zo vrij gevoeld... vrij, om mezelf te zijn en... ik denk, dat ik op de goede weg ben om vriendelijker te zijn tegen die andere Vincie in haar tweede wereld ... dat heb jij bereikt!"

Michael bleef zonderling ernstig, met een melancholieke uitdrukking op zijn gezicht bleef hij haar aankijken, haar hand had hij met een warm, beschermend gebaar geborgen in zijn beide handen.

„Het is niet elke dag zondag, niet elke dag feest... heb je er bij stilgestaan hoe ver jouw vaderland en het mijne van elkaar liggen? Je kunt niet éven naar huis, het is niet 'even' naar Engeland of wat voor land in de buurt ook. Australië is een verdraaid eind weg, meisje ... je zult er niemand hebben dan mij, ja, en m'n familie, die je voorlopig niet kent en dat kan je dan ook nauwelijks tot troost zijn ... Als ik daaraan denk, ben ik bang. Je moet zoveel opgeven en het kan toch zijn, dat je het niet redt... zover van alles en iedereen wat je lief is. Met alleen mij om op te leunen. Heb je je dat wel gerealiseerd, Vincie?"

Vincie gaf niet direct antwoord maar ze schrok niet van zijn woorden.

„Ik heb er wel eens aan gedacht," bekende ze. „Maar dat is niet een van de redenen geweest waarom ik ben weggelopen. Ik moet bekennen, omdat ik volstrekt eerlijk tegen je wil zijn, nu en altijd, omdat het na ons gesprek van vandaag kan, omdat ik voor jou niets geheim hoef te houden: Ik zie er natuurlijk wel tegenop, het zou dwaas zijn het mooier voor te stellen dan het is. Als ik er over nadenk, wat ik allemaal achterlaat: Mijn familie, vooral mijn kleine broer, tante Hazel, die ik dan misschien nooit meer terugzie, Shireen, goeie trouwe Shireen, Nicky en Roy, het dorp en... en Kenneths graf. Ik heb tante Hazel beloofd dat, als in de loop van de tijd het enthousiasme mocht vervlakken, ik toch altijd, mijn levenlang, voor Kenneths graf zou zorgen. Hoe dat dan moet, weet ik nog niet...

Michael, het weegt ontzettend zwaar... daar moet ik echt naar toe groeien. En dat gebeurt uitgerekend mij, die nooit begreep hoe mensen konden gaan emigreren... alles achterlaten, ik huiverde bij het

146

denken eraan... maar wat moet ik doen? Ik zou ook niet gelukkig zijn, als ik hier bleef bij iedereen maar ik moest jou missen."

„Dat is dan een heel grote verantwoording voor mij..." Michaels stem klonk een beetje schor, hij verborg zijn gezicht in haar haren en de hand op haar schouder, zijn rechterhand, die de hare gevangen hield omklemden haar opeens zo stevig, dat het pijn deed.

Na een lange tijd kwam er bijna onhoorbaar achteraan: „Ik wil dat je gelukkig wordt... ik moet al de mensen die je liefhebt, alles wat je bindt kunnen vervangen... ik wíl het ook. Het zal vaak erg moeilijk voor je zijn en daarom vraag ik je nogmaals: Durf je het echt aan, Vincie?"

„Ja... ja, maar wat gebeurt er, als ik het tenslotte niet red... dat kan toch, Michael, en laten we er alsjeblieft onze ogen niet voor sluiten. Mijn gevoel bedriegt me zelden, dat weet je... en ik heb sterk de indruk, dat ik het moeilijk zal krijgen maar het wel zal volhouden... als jij er maar altijd bent." Vincie kuste hem en ze trok hem troostend en speels aan zijn dikke haardos.

„Kijk niet zo vreselijk ernstig, Michael... ik kies nou eenmaal nooit het gemakkelijkste deel, dat schijnt zo te moeten zijn, maar je wordt er wel sterker van."

„Als mocht blijken, dat je het helemaal niet kunt uithouden, dan breng ik je terug..." en toen ze een verschrikte beweging maakte, glimlachte hij warm en vriendelijk tegen haar als tegen een kind. „Niet zo vlug, Vincie, niet zo vlug... ik was nog niet klaar. Ik breng je in dat geval terug en ik blijf bij je. Ik ben toch al een zwerver door mijn werk... het kan ook best zijn dat ik af en toe kans zie, net als nu, opdrachten te krijgen die me in deze richting sturen... daar zal ik m'n best voor doen.

Ik wil proberen een of andere regeling te treffen, zodat je niet voor jaren van je familie wegblijft en totaal vervreemdt... kijk, dat is dan het voordeel van een vrij beroep... Ik zeg dat niet om het gemakkelijker te maken voor het ogenblik, ik ben gewend om waar te maken wat ik beloof... het blijft altijd nog zwaar genoeg voor je. Ik heb alle mogelijkheden opgesomd, meer zijn er niet."

„Meer zijn er niet," herhaalde Vincie en ze zuchtte heel diep, er stonden tranen in haar ogen maar ze liet Michaels hand niet los. „En toch kies ik jou, ik ben me bewust waaraan ik begin, maar mijn besluit staat vast ... ik kies jou!"

„En ik hoop, dat je er nooit spijt van zult krijgen." Michael kuste Vincie plechtig alsof hij een eed bekrachtigde en daarna heel wat minder plechtig. Het duurde nog een lange tijd voor ze tot de ontdekking kwamen, dat er een echte storm aan het opsteken was.

„Laten we het tante Hazel gaan vertellen, ze zal het wel verwachten." Vincie ging op haar tenen staan en kuste Michael ergens in de buurt van zijn oor. „Je ziet er door de storm uit als een roverhoofdman met dat woeste haar, of een kaperkapitein ... dat past beter bij de zee. Pevensy Bay, voor mij ben je een droomeiland. Wat benijd ik de mensen die hier wonen met de zee als overbuurman, geen verveling, geen geroddel, geen ruzie of wat dan ook met die ruige brommende overbuurman ... : hij praat altijd maar het verveelt nooit. Pevensy Bay, ik ben dól op je!"

Na deze ode aan het oord waar Michael en zij 'ja' tegen het leven hadden gezegd, liepen ze naar boven, met de armen om elkaar heengeslagen. De storm rukte aan hun kleren en hun haren, de meeuwen doken vlak boven hun hoofden en scheerden weer weg en hun wilde kreten smolten samen met het stormlied van de zee.

Vincie keerde zich nog eens om en nam het beeld in zich op.

„Dag Pevensy Bay," zei ze heel zacht. „Ik weet niet wanneer ik hier weer kom ... dag mijn dierbaar Pevensy."

Op de korte weg naar huis was Vincie stil en Michael deed ook geen moeite haar tot praten te dwingen, waaraan ze op dat ogenblik blijkbaar geen behoefte had.

Hazel Graham stond voor het raam in de erker en zag hen aankomen, hand in hand, dicht bij elkaar. Het was wat ze zielsgraag gewild had en toch deed het pijn. Het meisje waarmee ze zoveel jaren een heel sterke band had zou binnenkort weggaan, voor haar betekende dat waarschijnlijk voorgoed, ze zou Vincie niet meer weerzien. Ze had iedereen verloren die haar lief was geweest, maar dat gebeurde nu eenmaal als je zo erg oud werd, dacht ze. In het voorbijlopen keek ze naar de foto van haar man en daarna naar het schilderij aan de wand ... het was niet zo'n vrolijk leven geweest, dat van haar.

Daarvoor had ze Kenneth te vroeg moeten missen en er was niemand overgebleven, die bij Kenneth had gehoord ... geen vrouw, geen kinderen... Maar ze had nergens spijt van, het was goed zo. Vincie had haar zoveel troost en liefde gegeven.

„Tante Hazel..." Vincie kwam binnen en sloot de oude dame in haar armen, ze deed dat altijd voorzichtig omdat ze tante Hazel zo'n broos persoontje vond maar, dacht Vincie, in werkelijkheid moest ze van staal zijn. „Tante Hazel, Michael en ik houden van elkaar, maar dat wist u al... wat een geluk, dat u alles aan Michael hebt verteld anders had ik hem misschien nooit meer gezien."

„Ik ben zo blij voor jullie..." Hazel kuste Vincie en Michael hartelijk. „Voor mezelf ben ik niet zo blij... ik zal jullie erg missen maar dat mag geen rol spelen..."

„Ja, het speelt wel degelijk een rol, mijn familie en m'n land... alles speelt een rol, maar ik wil bij Michael blijven... daarom ga ik mee. Als ik het toch niet kan uithouden, gaat Michael met mij mee... heeft hij beloofd, en ik ben bang, dat híj zich dan niet zo gelukkig zal voelen. Maar we moeten gewoonweg proberen wat de meeste kans van slagen heeft. Als we bijelkaar willen zijn... dat speelt voor ons de hoofdrol. Ik hoop dat het altijd zo zal blijven, daar wil ik echt héél veel voor opofferen."

„Ja," bevestigde Michael die maar een enkele keer, zoals vanmiddag woordrijk was. „Vincie zal me boven alles gaan, boven eerzucht, boven mijn werk... nou ja, alles."

Dat was het dan. Vincie begon te lachen: „Dat is de mooiste redevoering die je ooit zult houden."

Het liep tegen middernacht, toen het huis donker was, en tante Hazel en Michael al sliepen, maar Vincie sliep niet en heel zacht liep ze de trap af, vond op de tast het knopje van het licht in de zitkamer. Ze bleef voor het grote schilderij van Kenneth staan en in gedachten beleefde ze nog eens alles, wat Kenneth in haar leven had betekend. Zonder Kenneth zou ze Michael ook nooit ontmoet hebben. Je kon het noodlot noemen of voorzienigheid maar toeval kon het beslist niet zijn, daarvan was Vincie overtuigd.

Een kamer is in de nacht altijd anders, er hangt een vreemde, eenzame sfeer, een beetje onwerkelijk ook. Vincie voelde het heel sterk, ook het schilderij zag er om de een of andere reden anders uit dan bij daglicht. Het was wel een heel goede schilder geweest, die Kenneth op het doek had gebracht alsof hij leefde. Vincie nam een

149

prachtige roze roos uit een vaas, zoals ze vroeger rozen voor hem had gekaapt uit de vazen van haar moeder en grootmoeder.

„Voor jou en ... bedankt, Kenneth," zei ze en ze stak de roos tussen de lijst. Toen knipte ze het licht uit en vond op de tast de weg naar haar slaapkamer.

Zowel Hazel als Michael zagen de volgende morgen de roos onmiddellijk maar ze zeiden er geen van beiden iets over en daar was Vincie blij om.

Toen Vincie op punt stond om met Michael naar het vliegveld te gaan, na een lang gesprek met 'thuis', fluisterde tante Hazel in Vincie's oor: „En bedankt voor Kenneths roos, wat een lief gebaar ... tot ziens, Vincie, en heel veel geluk!"

Ze wuifde hen na en Vincie zei heel zacht en bedrukt: „Wat is ze eenzaam en ze wordt almaar eenzamer, maar ze wil niet uit haar huis. Ik kan het begrijpen ... ja, dat wel, maar ik vind het erg."

„Ja, ik zeg het niet om je te troosten, maar tante Hazel is een heel sterke vrouw." Michael had het er toch blijkbaar ook wel moeilijk mee, constateerde Vincie.

Het viel haar ook op, dat Michael erg stil was. Ze vond hem al niet zo'n grote prater, dus dit viel dubbel op.

„Wat scheelt er aan, Michael?" Ze zaten in het vliegtuig en ze boog zich naar hem toe en schoof haar hand vertrouwelijk onder zijn arm door. „Zie je zo tegen de confrontatie met mijn familie op?"

„Ja," gaf Michael zonder meer toe. „Als wij komen zullen ze het heus nog niet verwerkt hebben, dat je binnen niet al te lange tijd naar Australië verhuist ... ze waren niet zo blij toen je opbelde, dat heb ik wel gemerkt en ik kan het ze niet kwalijk nemen."

„Nee, zeker niet blij," gaf Vincie royaal toe. „Hoe zouden ze nou blij kunnen zijn? Bovendien kennen ze je nog helemaal niet. Het zal best meevallen. Intussen zal ik me ook goed opgelaten voelen als ik tegenover jouw onbekende familie sta."

Op Schiphol stonden Vincie's vader en moeder te wachten op het grote moment. Vincie die thuiskwam met de onbekende, die haar naar Australië ging ontvoeren, want zo zag vooral Vincie's moeder het.

„En daar komen ze dan," zei Vincie's vader, hij was de eerste die zijn dochter en Michael in het vizier kreeg, maar Carola staarde met grote ogen naar Michael. Ook zij was eens bij Hazel op bezoek geweest en ze kende vanzelfsprekend het portret van Kenneth.

„Ongelooflijk ... het is zijn dubbelganger," dacht ze en toen stonden ze voor haar. Vincie, glimlachte met een smekende blik in haar ogen en Michael, slecht op zijn gemak en er van overtuigd dat men hem beslist niet hartelijk tegemoet zou komen.

„Vincie ... Vincie!" Carola kon verder geen woord uitbrengen. Pierre grinnikte en stak Michael spontaan de hand toe. Hij mocht Michael op het eerste gezicht en de jongen kon er ook niets aan doen dat hij in Australië woonde.

Carola liet Vincie los, ze keek Michael oplettend aan, toen glimlachte ze, een grappig scheef glimlachje dat tegen tranen aanleunde.

„Voor mij hoefde mijn dochter nou net niet tegen iemand aan te lopen die aan het andere einde van de aarde woont, maar als ik dat even probeer te vergeten mag ik je wel."

„Waar is Ed?" vroeg Vincie teleurgesteld. „Heb je hem thuis gelaten?"

„Ja, bij Nicky en Roy ... zij zouden overal voor zorgen en ze hebben ons beloofd, dat ze ons heel iets anders dan harde scheepsbeschuit en water zouden serveren. Grapje van Roy ... en Ed wilde beslist thuisblijven om hen te helpen, waarschijnlijk van de wal in de sloot." Vincie knikte bemoedigend tegen Michael. Hij zag er zo opgelucht uit.

De kennismaking was dus meegevallen en daar was ze blij om.

Ook Nicky en Roy, die gevolgd door Ed, naar de deur liepen toen ze de wagen zagen stoppen, stonden Michael ongelovig aan te kijken. Nicky had wel van Vincie gehoord, toen ze met haar had gesproken, dat Michael op Kenneth leek, maar ze had zich niet kunnen voorstellen dat die gelijkenis zo indringend zou zijn.

„Je weet, wat ik destijds heb gezegd ... dat ik bang was oneerlijk tegenover Michael te zijn," vertrouwde Vincie later haar tante Nicky toe. „Nou, zo is het niet, hoor. Ik houd van Michael om wat hij als mens is en niet omdat hij zo op de door mij vereerde Kenneth lijkt. Wat me wel heel erg dwars zit, is dat ik niet kan doen wat ik tante Hazel heb beloofd ... voor het graf van Kenneth zorgen."

„Dan doe ik dat toch," zei Nicky heel rustig en vanzelfsprekend. „Daar kun je gerust op zijn en ik dacht, dat je mij vertrouwde sinds heel veel jaren."

„Jou méér dan iemand anders ... als ik jou toen niet had gekend, zou ik heel erg ongelukkig zijn geweest. Dat wilde ik je toch altijd nog eens nadrukkelijk zeggen, maar het kwam er nooit van. Ik was zo gelukkig omdat jullie eindelijk terugkwamen en nu ..." Ze maakte een hulpeloos gebaar met haar handen. „Nu ga ík weg ... het gaat altijd anders dan je hebt gedacht."

Michael kon niet lang van zijn werk wegblijven, hij had al een paar telefoontjes gekregen en beloofd dat hij binnen drie dagen beslist terug zou zijn.

„Voor ik weg ga wil ik zo graag met jou naar dat dorp uit je jeugd-jaren," had hij tegen Vincie gezegd.

„Dat is goed," mengde oma zich in het gesprek. „Dan mogen jullie me terug naar huis brengen, dat gaat dan in één moeite door."

Zo dwaalde Michael de volgende dag, hand in hand met Vincie, door het dorp van haar kinderjaren. Ze was er nog erg populair en ze kwamen bijna niet vooruit, omdat iedereen Vincie aanhield en uit-gebreid wilde men weten hoe ze het maakte, dat was natuurlijk uit nieuwsgierigheid naar Michael. Hij verstond er weinig van maar hij begreep veel, al de knikjes en glimlachjes in zijn richting logen er niet om.

Bij haar rondleiding kwamen ze ook in de tuin van het bur-gemeestershuis. De huidige burgemeester ontving haar met open armen. Natuurlijk mocht ze gaan waar ze wilde en eindelijk alleen, zonder vriendelijke maar hinderlijke belangstelling van de dorps-bewoners, bracht Vincie Michael naar de grote tuin en vertelde over het legendarische tuinfeest, waar Nicky heel het dorp bij de neus had genomen, en Vincie en Shireen voetzoekers hadden afgestoken.

„Je bent wel een lieverdje geweest." Michael brulde van het lachen. „Heb je nog meer van die huzarenstukjes uitgehaald?"

„O ja, hoor," beleed ze en haar ogen twinkelden van pret. „Ik kan je nu de trouwzaal niet laten zien, waar Shireen, destijds Troeltje ge-noemd, en ik hebben kans gezien, terwijl mijn oom een stel uit het dorp trouwde, op rolschaatsen door de zaal te razen, aan de ene kant erin en aan de andere kant eruit ... hij was rázend, ik heb 'm zelden zo boos gezien. Ja ... nog één keer, maar dat is een heel ander verhaal."

152

„Wie had dat ooit achter rustige Vincie gezocht." Michael viel van de ene verbazing in de andere, maar toen ze op zijn verzoek naar het bos gingen, naar de plaats waar Vincie destijds haar geheime boskamer had gevonden, stemde ze pas na lange aarzeling toe.

„Ik wil dat niet... ik ga daar niet terug," zei ze heftig. „Dat is voor mij... nu ja, het klinkt misschien overdreven, maar het is voor mij heilige grond... natuurlijk kunnen we erheen wandelen en mag jij kijken, laten we dat dan maar doen."

Zwijgend, nog steeds hand in hand liepen ze het ingewikkelde net van dwaalwegen, dat Vincie zonder aarzelen volgde.

„Hier was het..." zei ze heel zacht. „Je ziet niets, nee, maar buig de struiken even terug... je ziet niets als een donker hol, dat naar vocht en rottende bladeren ruikt." Ze hield zijn hand steviger vast. „Het is jouw familielid, dat je nooit hebt gekend, die hier de laatste uren van zijn leven doorbracht."

„Verhalen uit je familie doen je gewoonlijk veel... ook al is het lang geleden, ook al heb je de mensen niet gekend." Michael sprak met gedempte stem. „Maar met hem, met Kenneth voel ik toch een bizondere band, door jou... door alles wat ik weet. Laten we hier weggaan, Vincie... je ziet zo wit, het maakt je triest."

„Nee... niet echt verdrietig." Ze keek nog even om, toen sloten de oude, dichtbegroeide struiken zich weer achter hen. Langzaam liepen ze door. Natuurlijk wilde Michael ook Kenneths rustplaats bezoeken.

„Mooi, goedverzorgd..." mompelde Michael, hij boog zich vooraver om te lezen wat er op de steen stond gebeiteld.

Na het donkere, vochtige bos onderging Michael dit hier als weldadig, rustgevend en zeker niet verdrietig.

Vincie legde haar hand op Michaels schouder, hij zat nog steeds gehurkt bij de steen, verdiept in zijn gedachten.

„Zullen we gaan, Michael?" vroeg ze. „Nu heb ik je heel het dorp laten zien... alle plaatsen waar ik gespeeld heb en kattekwaad heb uitgehaald en ook die andere plaats in het bos."

„Ja, ik wilde je achtergrond leren kennen, ik denk dat ik je beter kan begrijpen... Ik ken mijn Vincie nu beter. Oh nee, niet goéd, maar in ieder geval beter en ik probeer steeds bij te leren."

Michael trok haar mee. In de nu verlaten boslaan bleef Michael staan, hij legde zijn beide handen op de tengere schouders van het meisje

153

en hij keek haar aan met verwondering en een lachtwinkel in zijn ogen.

„Vin, ik heb werkelijk het gevoel alsof ik met jou hier heb rond-gedwaald terug in de tijd, vijf jaar geleden en ik heb alles met jouw ogen bekeken... alleen met je uiterlijk, zoals jij het beschreef, had ik nogal moeite. Wat zei je ook alweer? Peenhaar, oranje-achtig, met twee stijve staartjes, een massa sproeten... was het zo?" Hij streek met zijn vinger langs de ronding van haar wang, langs de fijne gebo-gen wenkbrauwen en de kleine rechte neus. „Je bent nu zo mooi."

„Lelijke eendjes worden wel eens mooie zwanen... bovendien ben ik allesbehalve mooi, ik ben alleen een stuk opgeknapt." Ze kuste hem op zijn kin, het enige van zijn gezicht dat ze kon bereiken zonder op haar tenen te gaan staan. „Je moet me wel met de ogen der liefde bekijken om me mooi te vinden... natuurlijk ben ik er blij mee!"

„Ik ben blij met jou! Kom, mijn schat, we verlaten nou je kinder-wonderland." Michael nam haar gezicht in de kom van zijn beide handen, tilde het zachtjes omhoog en kuste haar.

Met de armen om elkaar heen liepen ze het bospad af. Daar, waar het pad overging in de enige straat die het dorp rijk was, keerde Vincie nog eens om.

„Dag... mijn kinderwonderland," zei ze heel zacht.

Ze gingen afscheid nemen van oma, die het jammer vond dat ze niet konden blijven, maar Michael moest in de namiddag het vliegtuig naar Londen halen. De wijze waarop oma had gereageerd op het bericht, dat haar kleindochter binnen afzienbare tijd naar Australië zou gaan, was precies zo laconiek als de familie dit van haar had verwacht.

„Ver weg... ja," had ze gezegd. „Je moet heel wat langer in het vliegtuig zitten als je hen gaat bezoeken, het is ook duurder, maar ik heb tenminste een aardig reisdoel om naar uit te zien, hoewel... het was me liever geweest als ze in Engeland was gaan wonen als het beslist het buitenland moet zijn."

Vincie's vader had blijkbaar vanaf het begin met een probleem rond-gelopen, hij bracht Michael naar Schiphol en ze waren daar zo vroeg, dat ze ruimschoots tijd hadden om in het restaurant koffie te gaan drinken. Vincie en Michael zouden natuurlijk liever samen zijn ge-

154

weest, maar pa had eenvoudigweg geweigerd om zijn wagen aan de wankele stuurkunst van zijn dochter over te leveren. Vincie reed erg nerveus en vooral in het donker was ze een gevaar op de weg.

„Het gaat niet om die wagen... het gaat om jou," had hij kortaf gezegd. „Je zult mij op de koop toe moeten nemen."

Tijdens het kopje koffie in het restaurant kwam Vincie's vader op het nippertje met zijn probleem voor de dag.

„Jullie praten nu wel over naar Australië gaan... waar denken jullie te trouwen, want ik laat m'n dochter niet naar het andere eind van de aardbol reizen als jouw vriendin, Michael, dat is me echt te gortig..."

Vincie en Michael staarden hem zo stomverbaasd aan, dat het komisch aandeed.

Michael wilde eerst ernstig boos worden maar zijn gevoel voor humor won het en het begrip voor een diep bezorgde vader, die zijn piepjonge dochter in gedachten op de bonnefooi naar een ander werelddeel zag trekken zonder dat hij de zekerheid had, dat ze echt bij een familie terecht kwam... ergens bij hoorde.

„Maak u niet ongerust," zei hij ernstig. „Vincie trouwt deugdelijk met mij voor ze naar Australië vertrekt. Er is nooit sprake van iets anders geweest, we hadden alleen geen tijd ergens over te praten, niet eens samen."

„Gunst pa..." zei zijn dochter tamelijk brutaal. „Je doet het prima als overbezorgde vader, maar je ziet, het is niet nodig. Bovendien had je daar ook wel eerder mee kunnen komen inplaats van in ons laatste uurtje... nou ja..."

„Doe niet zo snibbig." Michael legde zijn hand op de hare, die zenuwachtig bezig was een menukaart te vernielen. „Je bent net zo kostbaar voor je vader en moeder als je voor mij bent."

„Ja... sorry, papa, maar ik ben een beetje van streek. Ik vind het niet leuk dat Michael nu weer weggaat, het is allemaal zo snel gegaan."

Ze glimlachte tegen haar vader, maar waarom moest hij dan ook tot het laatste ogenblik als een klit aan hen blijven hangen? Ze werd er wanhopig van en toen nam Michael rustig het gesprek over.

„Kan Vincie u hier straks ophalen? Als u nu rustig uw kopje koffie drinkt, dan kan zij me wegbrengen en we kunnen nog even samen zijn. U vindt het toch niet vervelend, hoop ik?"

Vincie's vader zag er verbluft uit maar hij zei haastig, dat hij het zo prima geregeld vond en hier op Vincie zou wachten. Hij nam hartelijk afscheid van Michael en eindelijk konden ze samen weggaan. „Ik heb m'n vader nooit irriterend gevonden maar vanavond vond ik hem zo vermoeiend aanhankelijk," klaagde Vincie. „Ik wil alleen met jou praten, ik wil weten wanneer ik je weer zie... ik wil vragen wanneer je me schrijft of opbelt, al dat soort dingen. Ik weet alleen niet waarmee ik moet beginnen. Het gaat allemaal zo vreselijk vlug, dat ik het nauwelijks kan verwerken."

Michael boog zich naar haar toe en kuste haar innig. „Begin eens met rustig nadenken, schat. Je vader is helemaal niet vermoeiend aanhankelijk. Als ik naderhand een grote dochter heb, geef ik haar óók niet zo maar mee aan een vreemde vent waarvan ik nog niet veel weet... wat denk je? Niet lelijk tegen je vader doen op weg naar huis, hoor. Ik bel je morgenochtend en ik schrijf je morgenavond. Ik weet helaas nog niet wanneer ik weer kan overkomen, want ik kan moeilijk blijven spijbelen. Schrijf gauw terug of kom naar Engeland. Je staat wel heel lief te knikken maar ik geloof, dat het allemaal niet zo goed tot je doordringt... Vincie?"

Vincie wist niets meer te zeggen. Opeens greep de angst haar bij de keel. Als dit een klein deel was van de verschrikkelijke eenzaamheid die ze zou voelen als ze binnen afzienbare tijd op het vliegveld zou staan om naar Australië te vliegen... als ze alles achter moest laten wat haar lief was, waar begon ze dan aan? Een ogenblik draaide heel de wereld om haar heen.

„Vincie... wat scheelt er aan?" Een zachte hand die rustgevend over haar haren streelde, bracht haar weer tot zichzelf. Ze keek naar Michael op, het gevoel van paniek viel van haar af. Weggaan zou ontzettend zijn... afscheidnemen is een beetje sterven, maar de maanden na haar vlucht uit Engeland, zonder Michael, waren zo ellendig geweest, dat ze zonder meer op het vliegtuig naar Australië had willen stappen als ze de kans had gekregen.

„Michael, ik houd van je, kom alsjeblieft zo gauw mogelijk terug." Ze sloeg haar armen om zijn hals en duwde haar gezicht tegen het zijne.

„Het is goed zo, ik zou het niet anders willen. Ik was heel even in de war omdat ik niet tegen afscheidnemen kan. Wie kan dat eigenlijk

156

wel gemakkelijk? Ik in ieder geval niet. Kom... we moeten door-
lopen anders kom je nog te laat."

Vincie trok Michael haastig mee en het afscheid werd een beetje
chaotisch, zoals een afscheid meestal is in de laatste minuten samen.
Ik bel, ik schrijf en ik houd van je... het leek op het refrein van een
liefdesliedje, dacht Vincie. Waarom weet ik nou niets beters te zeggen? Alles wat ik had willen zeggen, valt me in als hij straks weg is.
Zo gaat het altijd.

„Goodbye, my love... till we meet again!" Michael kuste haar nogmaals, streek over haar wang en haar haren, knikte haar nog eens
warm en bemoedigend toe en dan verdween hij door de glazen
deuren. Hij wuifde nog een keer en daar stond Vincie dan... alleen.
De wereld was erg leeg voor haar op dat ogenblik.

„Ik kwam toch maar eens kijken waar je bleef." De stem van haar
vader kwam als een verademing, en zijn arm gleed om haar schouders. „Kom mee, meisje. Je ziet Michael nu toch niet meer."

„Ja, ik ga mee." Ze gaf hem een arm en hij drukte die vertrouwelijk
tegen zich aan: „Afscheidnemen is een van de ellendigste dingen die
er bestaan. Kop op, meisje, we hebben wat dat betreft nog een en
ander voor de boeg."

„Ja, maar met mijn wereld, met mijn twee werelden is nu alles in
orde." Vincie zuchtte diep. „Gelukkig dat Michael er begrip voor
heeft."

„Wat bedoel je met twee werelden?" vroeg Vincie's vader, hij hield
het portier van de wagen voor haar open. „Bedoel je Kenneth en
Michael?"

Vincie stapte niet direct in maar ze keek haar vader verrast aan en
knikte instemmend. „Ja, zo zou je het kunnen noemen, het komt er
wel op neer."

Ze volgde met haar ogen een opstijgend toestel. Misschien was het
Michaels vliegtuig.

„Stap in, Vincie," zei haar vader. „Morgen belt Michael... morgen
schrijft Michael."

„Hoe weet je dat?" vroeg ze verwonderd en hij begon te lachen.

„Dat ligt toch allemaal voor de hand, kind, maar stap in, vóór we hier
wortel schieten."

Vincie wipte naar binnen, ze zei dankbaar: „Weet je, wat ik zo heb

gewaardeerd? Jullie deden helemaal niet vervelend tegen Michael...
daar was hij wel bang voor, hij was zo stil op weg naar huis. Ik vind
dat toch zo geweldig van jullie, dat wil ik toch even zeggen.
Bedankt, papa, ik zal het ook tegen de anderen zeggen."
Het bleef even stil, toen zei Vincie's vader: „Het was een schok,
Vincie, dat is waar, mama was, nou ja... nogal opstandig, verdrietig,
dat kun je wel begrijpen. Maar dat hebben we uitgepraat.
We hebben je zo vaak niet begrepen, te dikwijls alleen gelaten,
vroeger en we wilden dit... deze thuiskomst, beslist niet verknoeien
voor jou en Michael... vooral niet, omdat je binnen niet al te lange
tijd, zo ver van ons weg zult gaan... we wilden, dat jullie een fijne
herinnering zouden hebben aan Michaels eerste bezoek bij ons thuis
en als ons dat is gelukt, wel... dan is er véél goedgemaakt van alles
wat we, ondanks onze liefde voor jou, misschien verkeerd hebben
gedaan, Vincie. Wees maar gelukkig met je Michael, ik geloof dat hij
je liefde waard is en dat je veel steun aan hem zult hebben.
Het zal niet altijd gemakkelijk zijn, maar dat weet je zelf ook wel."
Vincie leunde ontspannen achterover en sloot haar ogen. Gisteren,
dat was haar jeugd in het dorp en Kenneth... Vandaag dat was
Michael maar ook de mensen om haar heen, die ze liefhad. Gisteren
... kinderjaren... het kinderwonderland... en morgen Michael en
een vreemd, onbekend land. Ze kon zich nu niet voorstellen, dat ze
ooit graag in Australië zou willen wonen maar het was Michaels
thuisland.
Het zal mijn lot wel zijn, dacht ze, om in twee werelden te moeten
leven. Niet alleen de wereld van mijn geest, maar ook in werkelijkheid. Levend in Australië, verlangend naar huis... arme Michael, hij
heeft niet het gemakkelijkste deel gekozen, toen hij van mij ging
houden... ik evenmin, toen ik Michael koos, maar wij mogen van
elkaar houden, wij mogen leven. Kenneth had geen kans...
Ze zuchtte diep. Dag Kenneth, dag vriend van mijn kinderjaren...
maar ik houd van Michael en voor hem heb ik alles over, zelfs het
afscheidnemen van al het andere dat me lief is. En nu zeg ik het voor
de tweede keer: Dag... mijn kinderdromenland.